KB077128

타로

실전 강의록

(이론편)

이부상 지음

부크크

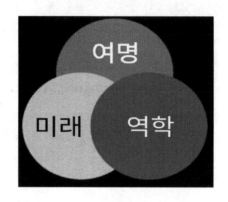

타로실전강의록 (이론편)

발 행 | 2024년 2월 22일

저 자 | 이부상

펴낸이 | 한건희

펴낸곳 | 주식회사 부크크

출판사등록 | 2014.07.15.(제2014-16호)

주 소 | 서울특별시 금천구 가산디지털1로 119 SK트윈타워 A동 305

호 전 화 | 1670-8316

이메일 | info@bookk.co.kr

ISBN | 979-11-410-7339-8

타로
실전강의록

이론편

이 부상　著

목 차

★ 강의에 들어가기 전에

필자(여명)가 2006년부터 타로 상담을 시작하여 벌써 오랜 세월이 지났다. 타로카드는 외국에서 도입되어 현재 국내에 수백종의 타로카드 종류가 나와 있지만 지금까지 저는 오로지 라이더 웨이트(유니버셜)카드로만 사용하고 있다.

타로 초심자는 처음에 타로카드를 어떤 것을 선택해야 할지 궁금할 수 있겠지만 타로카드는 무슨 카드를 사용해야 하는 것이 중요하지 않다. 얼마만큼 타로 리딩을 잘하느냐가 중요하다. 라이더 웨이트 카드는 모던(현대) 카드로 현재 시중에 가장 많이 출판되어 초심자가 공부하기가 수월하다.

예전에 어떤 분은 이 카드가 초보자가 공부하는 카드이고, 고급 수준은 클래식(고전) 타로인 마르세이유 타로라고 따지는 것을 보고 점술의 원리개념도 파악하지 못하는 단순한 편견이 답답했었다. 타로카드 자체는 점치는 도구에 불과하다.

일단 타로술사(타로마스터)가 타로카드를 선택하면 여러 종류의 타로카드를 중구난방식으로 보는 것보다는 하나의 카드에 집중하는 몰입이 중요하다. 모던 카드는 현대에 맞게끔 보완해서 만들어 변형되어 현재 타로카드가 수백 가지가 넘는다.

그 중에서 라이더 웨이터 계열의 모던(현대) 타로는 초보자가 공부하기에는 아주 용이하다. 따라서 타로술사들이 가장 즐겨 쓰는 카드이다.

타로카드는 총 78장이지만 카드마다 장수가 틀린 경우도 있다. 타로카드는 78장을 어떻게 다 외우는가? 걱정할 수도 있지만 원리가 간단하기 때문에 충분히 숙지할 수 있다. 원래 타로카드는 15세기 중세기에 귀족들의 놀이용 카드였지만 현재는 점치는 카드로 변하였다.

타로 공부를 원론적으로 너무 깊게 들어가면 너무 난해하고 시간이 오래 걸리니 중도 포기할 가능성이 많다. 우리가 타로를 배우는 목적은 얼마만큼 실전에서 타로 통변(리딩)을 잘 할 수 있느냐가 더 중요하다.

이 책(강의록)은 이론편과 실전편 2권으로 구성되어 있다. 이 책을 통하여 타로 공부를 열심히 하시면 여러분 인생의 갈림길에서 지혜를 얻는 데 큰 도움을 주어 인생을 바라보는 폭넓은 시각을 갖추어 성공적인 삶을 추구할 것이다.

타로 실전 강의 이론 편에서는 타로 리딩에 불필요한 이론은 배제하고 핵심적인 내용을 이해하고 응용하여 실제 타로 리딩을 할 수 있도록 편집하였으며 이론 편에서는 메이저 카드 22장과 마이너 카드 56장. 총 78장에 대한 핵심적인 특성을 파악한다.

그리고 타로 기본 배열법에 따른 기법에 따라 각종 운세 파악을 다양하게 78장을 활용되는 핵심 사항을 터득하는 것이다. 실전편에서는 상담내담자가 각종 운세 사항을 질문하여 선택한 타로카드 배열법에 따라 이론편에서 배운 내용을 가지고 타로 리딩 스킬을 업그레이드 시키는데 그 목적을 가지고 있다.

타로 실전 강의록 두 권을 완전히 마스터 하시면 타로 달인이 되실 수 있으며 어떠한 운세나 심리 파악도 타로카드라는 도구를 통하여 분석할 수 있다. 그러나 타로 공부는 누구나 쉽게 접근하여 타로 리딩은 할 수 있지만 제대로 배우지 않고 중구 난망으로 속성으로 배우다 보면 한계점에 다다를 수 있다.

따라서 처음에는 타로 리딩을 정해진 기준 원칙을 가지고 리딩을 한 다음 서서히 다양한 리딩 변화의 확장성에 응용하는 것이 초절정 타로 고수가 되는 지름길이라는 것을 명심해야 한다. 기본을 갖추고 직관력을 키우는 자세와 무조건 주관적인 느낌을 가지고 자유자재로 직관하여 리딩하는 자세는 서로 비슷한 것 같지만 타로 리딩의 묘미를 느끼는 데는 큰 차이가 있다.

2024년 청룡의 해를 시작하면서, 여명 이 부상 배상

라이더 웨이트 카드 78장

타로카드란 무엇인가

★ 타로카드란 무엇인가

1] 타로카드 구성과 역사적 배경

라이더 웨이트 타로카드는 78장으로 구성되어 있다. 이를 덱(Deck)이라고 하며, 이 타로 덱은 22장의 메이저(Major) 카드와 56장의 마이너(Minor) 카드로 이루어져 있다. 각각 메이저 아르카나, 마이너 아르카나라고 하는데 메이저는 큰 틀을 의미하고, 마이너는 그 큰 틀을 구성하는 작은 요소들을 상징한다고 생각하면 이해하기 편하다.

아르카나(Arcana)라는 말은 단어 '불가해한(arcane)'이라는 말에서 유래되었는데, 숨겨진, 비밀의, 혹은 신비스러운 것을 의미한다. 메이저 카드는 카드 한 벌 가운데 첫 22장의 카드로 구성되어 있으며, 숫자로는 0에서 21번까지, 바보(Fool) 카드에서 세계(World)카드로 22장으로 이루어져 있다.

그리고 마이너 카드는 지팡이(Wands), 컵(Cups), 검(Swords), 동전(Pentacles)의 4종류로 나뉘는데 슈트(Suit)라고 한다. 총 56장 중에서 숫자로는 에이스(Ace)에서 10번까지 각각 4종류로 40장으로 이루어져 있고 코트(Court) 카드는 숫자가 아닌 소년, 기사, 여왕, 왕으로 4종류의 인물로 16장으로 이루어져 있다. 이렇게 메이저 카드 22장과 마이너 카드 56장 합해서 총 78장으로 구성되어 있다.

[메이저 카드 22장]

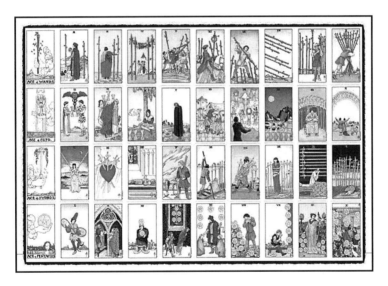

[마이너 카드 40장]

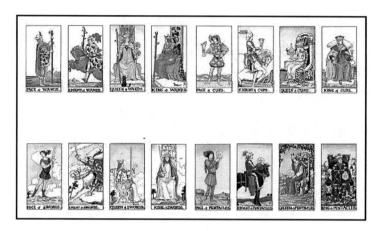

[궁정 카드(인물 카드) 16장]

그러면 타로란 무슨 의미이고, 언제부터 타로카드가 만들어졌으며 사용했는지 간략히 설명하겠다. 타로는 현재까지 정확히 밝혀진 것은 없고, 여러 가지 유래설이 있는데 이 중에서 이집트 문자 유래설이 있는데, 타로(Tarot) 어원이 tar(길)와 ro. ros. rog(왕)에서 나온 말로서 왕의 길(Tarosh)이라는 뜻이 있고, 이집트의 달과 지혜의 신 THOTH(토트)의 이름에서 유래와 이집트의 사랑. 결혼. 기쁨의 여신인 athor(hathor,하토르)에서 유래가 있다.

그 다음으로는 라틴어 유래설이 있다. 라틴어인 Rota(바퀴, 순환)와 Orat(말한다, 다투다)에서 유래가 있다. 또한 이탈리아 북부에 있는 Taro라는 강 이름에서 유래도 있다. 힌두어 설로는 힌두어로 카드라는 의미를 가진 Taru에서 유래가 되었고, 마지막으로 히브리어 설이 있는데 히브리어로 법률이라는 의미를 가진 Tarah에서 유래와 히브리어로 입구, 관문이라는 의미를 가진 Taro에서 유래가 있다. 그 밖에도 더 있는데 구체적으로 정확히 알려진 바는 없지만, 타로는 이집트 여신의 문화로서 토트신이 만들었다고 알려졌다.

[토트신]

지금까지 가장 오래된 타로카드는 1475년 비스콘티 스포르자(ViscontiSforza) 카드이나 몇 장이 유실되어 후일 재작성이 되어 추가되었고, 16세기에 발흥한 마르세유(Marseille) 타로는 현존하는 가장 오래된 카드 중에서 완전하게 모든 카드가 다 존재하는 카드덱으로 현대의 오컬트(신비주의)가 프랑스에서 시작했음을 미루어 짐작해 볼 수 있다. 타로카드는 약 600년 전 78장의 카드로서 처음에는 귀족층에서 카드 게임용 놀이로 사용했으나 그 후 점차 집시들이 점을 치는 도구로써 사용했다고 한다. 1789년 프랑스 혁명으로 미래에 대한 불안이 팽배하던 시대에 타로는 놀이보다는 운명을 점치는 기능으로 유행하게 되었다.

[비스콘티 스포르자 카드]

타로카드의 역사적 배경과 이론체계를 이해하기 위해서는 심리학. 연금술. 점성술. 상징. 수비학. 신화와 전설. 마법. 카발라 등 전반적인 서양철학을 포괄적으로 공부해야 한다.

[마르세유 카드]

그만큼 원리 공부가 방대하다. 이런 원리 공부도 중요하지만, 우리가 궁극적으로 타로를 공부하는 목적은 타로 리딩을 얼마나 잘하는 것이 중요하므로 어느 정도 타로에 관한 이론체계보다는 78장의 타로카드를 잘 분석하여 배열법에 따른 타로리딩을 집중적으로 분석하고 해석하는 것이 더 중요하고 실전 타로 달인이 되는 것이다.

2] 타로카드에 대한 기본내용

이번 시간에는 타로카드에 대한 기본적인 내용을 설명하겠다. 사람들은 타로점을 보는 이유가 무엇일까? 주로 각자의 어떤 문제에 대해서 선택해야 할 경우에 결정하지 못해서 타로점을 보거나 아니면 자신이 바라는 목적을 이룰 수 있는지 궁금해서 보는 경우가 대부분일 것이다.

그러나 타로점은 단순히 궁금한 사항에 점을 쳐서 결과를 아는 것도 중요하지만 현재 자신이나 타인의 마음 상태를 파악하여 인생을 살아가는데 올바른 판단을 할 수 있도록 조언을 해줄 수 있는 것이 바로 타로 점술이다.

하지만 현실적으로는 가볍게 호기심으로 젊은이들이 즐겨보는 점술로 인식하고 있다. 이제부터라도 타로카드라는 도구를 통하여 자기 내면을 깊이 성찰하여 인생을 올바르게 살아가도록 명상한다면 여러분의 정신세계는 풍요와 행복을 가져다줄 것이다. 지난 시간에 타로카드는 총 78장으로 이루어져 있다고 했는데 메이저 카드 22장과 마이너 카드 56장이다. 마이너 카드 56장 중에서 4 슈트(완즈,컵,소드,펜타클) 40장과 궁정(소년·기사·여왕·왕)카드 14장으로 이루어져 있다.

궁정 카드를 인물 카드라고 하는데 메이저 카드 0번 광대(바보)부터 시작하여 21번 세계까지 인생의 여정을 설명할 수 있고, 메이저 카드는 인간으로 본다면 정신을 의미하는 부분이고, 마이너 카드는 육체를 의미하기 때문에 서로 유기적 관계로 큰 틀은 메이저 카드로 볼 수 있지만 거기에 다른 구체적인 상황은 마이너 카드로 설명할 수 있으므로 너무 메이저 카드에 집착해서는 안 되고 마이너 카드와 연계를 잘하여 통변을 잘해야 한다.

그만큼 뼈대를 세우고 살을 붙이는데, 마이너 카드가 중요하다. 또한 마이너 카드 중에 궁정(인물) 카드를 해석하기가 좀 난해한 부분이 있어 잘 숙지해야 한다. 타로 리딩을 할 때는 각각 1장씩 타로카드의 의미를 분석하는 것보다는 전체적인 흐름을 파악하는 것이 중요하다. 예를 들어 매직 세븐 배열법으로 7장 카드를 보고 전체적으로 메이저 카드 마이너 카드를 구별하고 또한 마이너 카드 중에서 어떤 슈트가 주로 나왔는지 일단 큰 그림을 그려야 한다.

무조건 타로를 보고 해석하려고만 하니 말문이 터지지 않고 말문이 터져도 질문상황에 맞지 않는 리딩을 하고 만다. 우리가 그림을 그리기 위해서는 스케치를 먼저 하듯이 큰 구도를 잡는 것이 중요하다. 그리고 타로 리딩이 숙달이 되면 다시 타로카드 1장씩 되새기면서 키워드 확장 응용에 반복연습 하시면 실전 전문 타로 상담가로 손색이 없을 것이며 타로통변에 자신감이 넘칠 수 있다.

다음은 타로카드 관련 용어에 대해서 간단히 알아보겠다. 타로 상담을 해주는 사람을 일컬어 타로 리더(Tarot Reader)라고 하며, 상담을 의뢰하는 사람을 보고 타로 질문자(상담의뢰자. 내담자)라고 한다. 타로카드 셔플링(Suffling:뒤섞음)은 타로카드를 섞는 것을 말하며, 스프레드(Spread:펼침)는 타로카드를 펼치는 것을 의미한다.

마이너 카드에서 완즈(Wands:지팡이). 컵스(Cups:컵). 소드(Swords:칼). 펜타클(Pentacls:펜타클)이 있고, 궁정 카드(인물카드)에서 시종(소년)(Pages). 기사(Knight). 여왕(Queens), 왕(Kings)이 있다.

3] 타로 상담가의 마음가짐

타로 상담가의 마음가짐에서 중요한 게 있다. 점술에 대한 순수한 믿음이 중요하고, 점을 볼 때는 정신을 집중하고 물음에만 몰입해야 한다. 일반적으로 타로점이 틀리는 것은 상황에 맞지 않는 해석과 리딩(통변)의 잘못이지, 카드가 잘못 나온 것이 아니다.

그다음 더 중요한 것은 증권, 도박, 복권 등에 대해서 타로점을 치거나 악한 마음으로 남의 마음을 알기 위해서 점을 보면 절대 안 된다. 마지막으로 타로점을 볼 때 질문 방법에 관해서 설명하겠다. 타로점을 볼 때 한 번에 많은 내용을 질문하지 말고, 나누어서 질문해야 한다. 구체적이고 짤막하고 간결하게 질문할수록 정확하고 명료한 점단이 가능하다.

타로점이 국내에 도입된 지 30년 정도는 안 된 것 같다. 처음에는 단순히 사주 상담가들의 호구지책으로 너무 저렴한 상담 비용으로 젊은 층에 큰 호응을 받았지만, 타로에 대한 가치평가가 너무 저하되어 순수 타로를 전문적으로 연구하고 명상 수련과 정신 수양을 위한 단체들의 원성이 끊이지 않고 있었다. 그렇지만 타로를 대중화시키는 데는 절대적으로 역술을 업으로 하신 분들의 영향이 컸던 것은 사실이고 인정해야만 한다.

그리고 우리나라 정서상 점을 보거나 기복신앙이 강한 민족인지 몰라도 이처럼 전 세계적으로 타로점이 유행한 것은 대한민국밖에 없는 것 같다. 예전에 철학관이 타로점에 밀려 고전하고 있을 때 어떤 역술인은 얼마 못 가서 타로는 끝날 것이고 다시 사주가 대세가 될 것이라고 말을 한 적이 있는데, 어느 정도는 맞기도 하고 틀리기도 한다.

지금 타로 유행이 많이 꺾이고 특정 장소 몇군데 제외하고 사주타로샵은 많이 없어진 것 사실이지만 알고 보면 방문 상담보다는 모바일 운세 상담이

활성화가 되어 누구나 쉽게 저렴한 상담 비용으로 형성이 되어 운세 시장이 개인이 아닌 대형 사업화가 되는 실정이다.

예전처럼 타로 책 1권 읽고 상담해도 손님이 문전성시를 이루고 직관만 있으면 타로 도사로 손님들 줄을 세우는 진풍경이 있었던 시절이 있었다. 이제는 전문적으로 공부하여 스스로 실력을 갖추고 제대로 상담하지 않으면 살아남을 수 없으니 그만큼 타로가 국내에 도입되어 초창기를 지나 성숙기로 들어와 양보다는 질적으로 향상이 되어 수준이 높은 훌륭한 타로 리더들이 양성될 것이라고 믿어 의심치 않는다. 다음 강의에는 본격적으로 메이저 카드 0번부터 강의하겠다.

4] 메이저 아르카나

이번 강의부터는 메이저 카드 0번 바보(광대)부터 시작하겠다. 먼저 필자(여명쌤)는 타로카드 정방향과 역방향을 참고하지 않고, 긍정적 측면과 부정적 측면으로 구별하여 판단한다. 실전에서 상담을 해보면 방향과 상관없이 전후 카드 배열에 따라 해석이 달라진다.

정. 역방향에 따라 해석하는 고정관념을 버려야 한다. 점술의 원리도 역학의 원리와 똑같다. 카드 1장에 음양이 다 있듯이 상황에 따라 긍정과 부정의 양면적인 시각을 가져야 타로 리딩의 묘미가 있다.

십수 년 이상 실전 타로 상담하면서 정방향으로만 해석해도 잘 맞지 않고, 역방향을 적용해도 전후 관계 해석이 엉뚱한 결과가 나온 것이 비일비재하다. 이 개념이 가장 중요한 핵심적인 부분이기 때문에 잘 숙지해야 타로 통변의 시각이 넓어지고, 타로를 추리하는 분석력이 탁월해진다.

5] 메이저 카드의 상징체계

1. 색상
* 빨간색: 정열. 열정. 강렬함. 활동. 흥분. 적극적. 행동하는 분노. 탐욕
* 노란색: 밝음. 활력. 찬란한. 빛나는. 수확. 풍요. 풍성
* 주황색: 밝음. 명랑. 생동감. 환희. 온화. 풍부한. 풍성한
* 파란색: 하늘. 청명한. 투명한. 봉사. 차가움. 침착. 우울. 공포
* 초록색: 서늘한. 상쾌한. 청초한. 시원한. 평화. 질병. 공포
* 자주색: 위엄. 권위. 신비. 부드러움. 고독. 절망
* 검은색: 염세적. 부정적. 걱정. 불길함. 억압. 조용한. 은밀. 속임수. 사기. 움직이지 말아야 하는. 어두운
* 하얀색: 순수. 순진. 청초함. 밝음. 서늘한. 솔직한. 청결. 순결. 영혼이 맑은. 정신적. 감수성. 영감. 감각

2. 식물
* 곡식: 비옥. 풍요. 풍성. 성장. 성과. 결실 *예) 여황제*
* 석류: 풍성. 풍요. 다산. 여성. 생식기. 성숙. 월경. 임신. 번식. 생산 *예) 여사제. 여황제*
* 붉은 장미: 정열. 열정. 사랑. 생명. 창조 *예) 마법사. 교황*
* 하얀 장미: 순수. 순결. 순진함 *예) 바보*
* 하얀 백합: 순수. 청결. 청순. 진실 *예) 마법사. 교황*

* 붓꽃: 신의 메시지. 내적인 안내. 무의식의 지혜 *예) 절제*
* 해바라기: 태양. 정열. 열정. 활동 *예) 태양*
* 사과나무: 지혜의 나무. 선과 악의 나무 *예) 연인*

3. 동물

* 스핑크스: 신전의 수호자. 안내자. 하얀 스핑크스는 열심히 노력하는 긍정
  적인 모습을 나타내고 검은 스핑크스는 욕망을 이루기 위한 부
  정적인 모습을 나타낸다. *예) 전차*
* 뱀: 유혹. 욕망. 남근. 지혜. 무의식 *예) 연인*
* 독수리: 진리. 예언. 예술. 지혜 *예) 운명의 수레바퀴. 세계*
* 염소: 욕망. 관능. 유혹. 고집 예) 악마
* 사자: 힘. 행동. 투쟁. 열정. 고결한. 야성. 본능 *예) 힘*
* 게: 이중성. 생각 *예) 달*
* 개: 충성. 충심. 복종. 믿음. 신뢰. 정직 *예) 바보. 달*
* 늑대: 포악. 거짓. 근심 *예) 달*

4. 자연

* 태양: 희망. 행복. 행운. 성공. 풍요. 결실. 미래. 열정.
  탄생 *예) 바보. 연인. 죽음. 태양*
* 달: 생각. 마음. 우울. 근심. 걱정. 고민. 어둠. 이중성.
  양면성. 불안. 불안정. 직관. 수심 *예) 달*
* 초승달: 여성의 직관력. 여성의 상상력. 여성적 *예) 여사제. 전차*
* 별: 영적. 정신. 행운. 희망. 탄생. 이상 *예) 별*
* 물: 신성함. 여성. 움직임. 마음. 감정. 심리. 지식. 맑음.

순수. 영적. 잠재의식 *예) 절제. 별. 달. 심판*

* 구름: 성스러움. 신비함

    예) 연인. 운명의 수레바퀴. 심판. 세계

* 벼락: 사건. 사고. 갑작스러운 일. 커다란 변화 *예) 탑*

5. 사물

* 우로보로스: 자기 꼬리를 둥글게 물고 있는 뱀을 뜻하며 영원불멸함과 영원한 힘을 상징한다. *예) 마법사*

* 네 가지 슈트: 마이너 카드의 슈트로 지팡이는 불. 컵은 물. 검은 공기. 동전은 흙 등 우주 만물을 구성하는 네 원소를 상징한다. 예) 마법사

* 뫼비우스의 띠: 무한대. 영원. 정신적인 무한한 힘 *예) 마법사. 힘*

* 흑백의 기둥: 검은 기둥인 보아즈(Boaz)는 어둠. 거식. 악. 직관을 상징하 하얀 기둥인 야긴(Jachin)은 그와 대립하는 빛. 진실. 이성을 상징한다. *예) 여사제*

* 베일. 망토: 신성. 숨김. 비밀 *예) 여사제. 황제*

* 토라(Tora): 자연의 법칙. 종교적인 규율. 위대한 법이 적혀 있는 경전
    예) 여사제

* 보주: 둥근 구슬 모양이며 궤도를 따라 회전하는 태양(행성)을 상징한다. 또는 폭력. 억압. 율법. 독재에서의 해방과 구원을 상징 *예) 황제*

* 잉크(Ankh) 십자가: 고리가 달린 T자 모양의 십자가로 이집트 신화에서 태양신 라(Pa)에게서 받은 생명과 불멸을 상징한다.
    예) 황제

* 타우(Tau)십자가: 세 개의 가로 막대와 하나의 가로 막대로 이루어진 십자 가로 기독교의 삼위일체. 종교적 권위를 상징

예) 교황

* 등불: 지혜. 지식 *예) 은둔자*

* 솔로몬의 인장 또는 다윗의 별: 삼각형 두 개를 엇걸어 만든 육각형 별로 형평성과 조화로움을 상징한다. 또는 귀신과 악마를 구속함. 두 원소의 결합. 물과 불의 결합. 남녀의 결합. 소우주와 대우주의 결합 등을 의미한다. *예) 여황제. 전차*

* 지팡이: 마법사의 도구. 내적인 힘을 가진 현자. 의지. 보조. 참모
  예) 은둔자

* 바퀴: 우주의 영원한 움직임. 인생의 흐름. 삶. 운명의 회전. 역마. 반복되는 일. 변화변동이 많은 *예) 운명의 수레바퀴*

* 양팔저울: 균형. 평행. 공명정대함. 심판 *예) 정의*

* 깃발: 자유. 모험 *예) 태양*

* 트럼펫: 복음. 영혼. 시작. 탄생. 부활 *예) 심판*

* 월계수잎 화환: 시작과 끝을 동시에 상징함. 인생의 변화. 우주의 순환
  예) 세계

메이저 아르카나 (Major Arcana)

22장

0. 광대 1. 마법사 2. 고위 여사제 3. 여황 4. 황제
5. 교황 6. 연인 7. 전차 8. 힘 9. 은둔자
10. 운명의 수레바퀴 11. 정의 12. 매달린 사람
13. 죽음 14. 절제 15. 악마 16. 탑 17. 스타
18. 달 19. 태양 20. 심판 21. 세계

0. 광대 (The Fool)

귀퉁이에 있는 태양이 있다. 태양이 전체가 다 나와야 완성을 뜻하는데 (태양카드) 태양이 일부만 나와 있어 미완성이란 의미다. 광대(어린애)가 개나리 봇짐을 하나 들고 여행을 간다. 아주 밝은 표정을 하면서 시선이 하늘을 보고 있어 발밑 낭떠러지를 쳐다보지 않아 부주의한 행동(무모함)이 보인다.

붉은색은 정열. 열정을 의미하고 흰색은 순수함. 노랑색은 풍요로움. 푸른색은 신비로움. 알 수 없는 비밀을 뜻한다. 세상에 물들지 않은 순진함과 낙천적. 도전 정신과 용기를 가지고 있다. 옆에 강아지(조언자)가 조심하라고 충고해도 듣지 않고 자기 생각으로 움직이는 어린 광대이다. 설산은 미지의 세계로 여행을 떠나는 모습이다.

아주 무모하면서 계획성 없고 충동적이며 어리석으면서 미지 세계의 동경만 가지고 즐거운 마음으로 가고 있는 모습이다. 위험을 두려워하지 않고 전진해 갈 수 있는 모험심이 강하다. 어느 한 곳에 얽매이지 않는 자유로운 정신의 소유자이다. 귀가 얇아 남의 말을 잘 듣고 무조건 저지른다. 항상 언제 튈지 모르는 럭비공 같아 불안정하다.

바탕이 노랑색이고 화려한 옷에 석류는 풍요, 부를 의미하여 집이 잘살고 걱정 안 하고 즐기면서 가는 모습이다. 광대는 충동적이고 순수함이 지나쳐 자기 생각밖에 모른다. 주변 사람에게는 황당하지만 재미있는 사람이다. 사람 자체는 좋다. 자유 분망한 성격에 새로운 호기심이 많지만, 매사에 용두사미이다.

금전은 들어오는 대로 모으지 못하고 버는 대로 써버린다. 아무 목적없이 돌아다니길 좋아하고 주머니에 돈이 다 떨어져야 집에 들어간다. 즉흥적 생각으로 충동구매를 잘한다. 금전 감각이 없어 수입이 일정치 않으며 지출이 수입을 초과할 가능성 있다.

연애는 주변에 여자가 많고 연상 여인과 인연이 있으며 사람을 가리지 않고 즉석만남을 잘하고 본인이 주선하여 일회성 연애를 즐기며 풋사랑 같고 바람둥이 기질이 있다. 자신이 좋아하는 사람에게는 조건 없이 다가가 사랑을 갈구한다. 그러나 얽매이는 것을 싫어하고 호기심이 많아 한 사람에 오래 정착하지 못할 수가 있다. 형식에 사로잡히지 않은 자유연애를 추구한다.

직업은 고정된 틀이 있는 직업보다 변화가 많은 직업이 어울린다. 한곳에 직장을 오래 다닐 수 없으며 자유직업. 알바. 시간강사. 재택근무. 무직(백수). 호기심 많은 직장(엔터테인먼트), 돌아다니는 직업. 여행업, 프리랜서, 디자이너, 연예인, 예술가, 창의력을 요구하는 직업, 임시직 등이고 사무직은 어울리지 않으며 불안정하다, 질병은 정신. 신경성 질환. 스트레스. 요통. 다리. 어깨. 허약체질. 위장. 건망증 등을 조심해야 한다.

긍정적 측면의 조언은 다소 무모하게 보일지라도 자신을 믿고 새로운 상황을 만들고 뛰어들어 보아야 한다. (현재 상황을 변화시켜야 한다). 부정적 측면의 조언은 사업적으로는 동업자나 전문 조언자가 필요하다. 조언자나 협조자 또는 동업자의 도움을 받지 않아서 사업상 손해를 보게 되는 경우가 많다.

무슨 일을 저지르는데는 최고인데 결과는 안 좋다. 생각이 짧고 성급하여 주변 사람 말을 잘 들어야 한다. 뜻밖에 상황이 발생할 것에 조심해야 하니 함부로 일을 벌리지 말아야 한다. 어떤 일을 물었을 때 안된다는 확률이 80%정도(되는 확률 20%)라 노력을 많이 해야 하고 주변사람 말을 잘 들어야 하고. 또한 시장조사를 철저히 해야 한다.

---

0. 광대 (The Fool)

[긍정적 측면]

1. 자유를 추구하고 모험을 좋아한다. 자유연애. 격식에 구애받지 않는다.
2. 현재 상황을 벗어나고 싶어한다.
3. 새로운 시작이나 기회
4. 초심자. 입문자 (숫자 0)

5. 순수, 순진무구, 천진난만

6. 예술가적 기질

7. 호기심이 많다.

8. 미적 감각이 뛰어나며 잡기를 가르쳐야 된다. (조언)

0. 광대 (The Fool)

[부정적 측면]

1. 지나치게 모험적인. 맹목적. 충동적. 불안정

2. 무계획적. 무책임, 무절제, 고집불통. 조급하여 실수 多

3. 사려 깊지 못한 행동. 부주의. 유치한. 미성숙

4. 방종(잘못된 자유 정신). 가출. 방랑벽. 사치

5. 경솔한 사랑. 연애 초보. 철부지 사랑. 즉흥적 만남,
   애정 편력

6. 귀가 얇아 남의 말을 잘 듣는다.

7. 백수. 현재능력 부족. 금전 관리 못한다.

8. 참모를 써서 일을 분담하라.

9. 이성적이지 못하고 감성적이다.

10. 쉽게 흥분상태. 격분. 인내심 부족

11. (조언) 뜻밖에 상황이 발생하니 조심하시고 시작하지 마세요.

☞ 보충 설명

주변 지인 중에 광대와 같은 성정을 지닌 인물이 있을 것이다. 그런 인물과 연상을 시켜 이해하면 바로 핵심 키워드가 나온다. 무조건 외우는 것은 한계가 오고 배열법에 따라 통변을 할 때는 또 다른 각도에서 해석을 할 수 있기 때문에 암기보다는 이해가 중요하다. 광대는 공부보다는 다른 재능을 키워야 성공할 가능성이 많다. 부모덕이 많아 잘사는 사람이 많으며 별로 고생하는 사람이 없다.

그러나 사업적 수단은 뛰어나지 못하다. 단순하지만 순수하고 천진난만하며 본성이 자유로운 사람이며 악의가 없고 소박하다. 때로는 미숙하고 부주의하다는 평을 듣지만 하나에 빠지면 열정적으로 몰입한다.

호기심이 많아 모험심과 개척정신이 있고 낙천적이다. 쉽게 흥분하는 편이며 대책 없이 변화를 추구한다. 창의력이 뛰어나며 순발력 있는 일처리를 하며 반복되는 일을 싫어한다.

한곳에 얽매여 구속되는 것을 싫어하고 엉뚱하면서도 아기자기한 면이 있다. 단순하다 보니 복잡한 것이나 심각한 것을 싫어한다.

광대 그림을 보고 장소의 개념으로 파악해보면 산, 현관입구, 모텔, 해외, 공항, 터미널 등으로 이동성이 많은 곳이다.

1. 마법사 (The Magician)

노란색은 풍요로움이라 잘사는 사람이고 붉은색은 열정, 정열, 흰색은 순수함, 장미, 백합은 열정, 순수함을 표현한다. 뫼비우스띠(무한대)는 무한한 능력의 가능성을 뜻하고 손에 들고 있는 봉은 자기의 능력으로 하나를 가지고 있다. 세계카드는 봉이 2개가 있다. 완성이란 의미이고 마법사는 봉이 1개이면 미완성을 의미한다. 허리에 있는 우로보스띠는 뱀의 지혜로 사악, 영악하며 영리하고 말을 잘한다.

테이블 위에 4개 슈트(지팡이, 컵, 칼, 동전)가 있다. 마법사가 이것을 다 활용하기 때문에 영리하고 똑똑하는데 테이블 전체가 다 나오지 않고 잘려 있다. 미완성(20% 부족)을 의미한다. 마법사는 내가 제일이고 능력 있다고 사람들에게 내비치고 있다. 뫼비우스의 띠가 있는 카드는 능력이 많다. 하지만 미완성을 의미한다. 광대보다는 조금 더 성숙하고 영리하며 진화된 모습이다.

광대는 시선이 하늘을 쳐다보고 있어 주위 시선을 의식하지 않으며 마법사는 시선이 정면을 쳐다보고 있어 노력하고 배우려는 모습이다. 마법사는 머리가 영리하며 영악한 성격이다. 그래서 인간미가 부족하고 말도 잘하고 인물이 잘생겼다. 하고 싶은 호기심도 많고 하지만 다 활용하지는 않는다. 자격증이 없어도 말재주로 재능을 발휘한다. 나름대로 계획성은 있고 공부도 잘하면서 예능도 뛰어나며 다재다능하다. 따라서 광대는 엉뚱하고 눌변이며 감각적이고 충동적이지만 마법사는 치밀하고 달변가이며 이성적이며 계획적이다.

마법사는 외국 나가는 일이 많거나 나가는 것을 좋아한다. 자기가 최고인 줄 알고 으스대며 여자들에게 인기 많고 남들이 마법사를 많이 불러 주어 바쁘다. 연상 여인이 마법사를 좋아한다. 따라서 애정운은 여성들에게 호감을 많이 받고 사교적이라 재미있고 아는 게 많다. 재치와 유머 감각이 있고 명랑 쾌활하다.

시작하면 관철을 시키고 부잣집 아들이 많고 가업을 물려받는다. 손재주 말재주가 뛰어나며 공부도 잘한다. 영악하고 교활하고 교묘하여 남이 눈치를 못 챈다. 예쁘게 생겨서 여자들에게 인기가 많고 바람둥인 줄 알고도 만나만 주면 여자들은 좋아한다. 유머러스하여 친구들에게 인기가 많다. 사업 성공은 80%이고 금전운은 금전 관리가 철저하고 계산이 빠르다. 고유한 능력을 발휘해서 독자적인 사업가 스타일이다. 획기적인 아이디어로 반짝하고 뜨는 업이 좋고 장기적인 투자는 별로이다.

직업으로는 변호사, 외교관, 협상가. 통역관, 엔지니어. 과학자. 설계사(토목 건축). 사업가. 전문직. 특수직. 제조업. 요리사. 예능 방면, 코디. 편집. 디자인. 기획. 의사. 교사(수학). 이공계열. 생사 관련 직업(소방관, 경찰직, 운전 기사). 기공 치료. 역술가. 유능한 멘토 등이다.

질병으로는 특별한 이유가 없는 스트레스 두통이나 머리 부분의 질병. 빈혈. 혈액순환 장애 등이다. 건강 운에서 조언으로는 건강 검진받거나 병원에 가보거나 의사에게 가서 치료받아야 한다. 사람들 앞에서 말을 많이 해서 생기는 병으로 갑상선이나 기관지 질환을 조심해야 한다.

부정적 측면으로는 지식이 동반된 말재주가 있어 한마디 던지면 다 넘어가니 바람둥이. 사기꾼, 사이비 교주 기질이 있다. 능수능란하고 재주가 있어 꾀를 부려도 남이 잘 알아채지 못한다. 다리가 안보이니 행동력은 좀 뒤떨어질 수 있습니다. 따라서 머리만 굴리지 말고 행동으로 보이면 좋다. 재능은 많으나 실속은 없고 의지가 나약하는 경우도 있다.

---

1. 마법사 (The Magician)

[긍정적 측면]

1. 사교적이고 이성적 인기가 많다.

2. 언어적 소양과 기술을 갖추고 있다.

3. 기획력과 설계를 구체화 시키는 창조적 능력을 가지고 있다.

4. 다재다능하고 치유 능력이 있다.

5. 영리하고 재치가 있으며 능수능란하다.

6. 삶에 대한 열정이 강하다.

7. 숙달. 달인

---

1. 마법사 (The Magician)

[부정적 측면]

1. 사기꾼이거나 사기를 당한다.

2. 제비족. 바람둥이

3. 능력없는 의사. 오진

4. 너무 재능이 많아서 뚜렷한 기술이 없이 실속이 없다.

5. 기술이나 재능을 파괴적으로 사용한다.

6. 의지가 나약하고 결정을 내리지 못한다.

7. 허풍만 있고 말뿐이며 실속이 없다.

8. 일을 벌이기는 좋아하나 제대로 수습하지 못하는

9. 교묘하고 잘난척하며 임기응변이 강하다.

10. 손재주가 없다.

11. 새로운 기회를 놓친다.

☞ 보충 설명

메이저 카드 22장을 개별적인 성향 파악을 완벽하게 분석해야 한다. 그러기 위해서는 각각 1장씩의 핵심 키워드를 크게 몇 가지로 구분하고 세부적으로는 메이저 카드 그림에 나오는 상징체계가 여러 가지가 있다. 그 중에서 색상을 보고 느끼는 의미가 있다.

예를 들어 흰색은 순수함. 노란색은 풍요로움. 빨간색은 열정 등등 파악한다. 이 마법사는 전체적으로 노란 바탕에 빨간색. 흰색이 눈에 보인다. 마법사는 풍요롭고 열정과 순수함을 가지고 있다는 느낌을 받아야 한다. 하지만 모든 타로카드에는 양면성이 있는데 긍정적인 측면과 부정적인 측면이 있기 때문에 주변 카드에 따라 해석이 달라질 수 있다.

이런 카드 조합의 해석이 어렵기 때문에 타로카드가 정방향은 긍정적. 역방향은 부정적으로 주로 분석한다. 저 여명 타로는 정. 역방향을 구분하지 않고 전체적인 조합에 따라 긍정적. 부정적 측면으로 해석한다. 따라서 이 마법사가 대체적으로 좋은 긍정적인 의미도 강하지만 주변 카드 조합에 따라 때로는 부정적인 의미도 강하다.

여기서 마법사는 너무 영리하고 말을 잘하고 이성들에게 인기가 있으며 부정적인 측면은 사기꾼 기질과 바람둥이 기질이 있다는 것을 항상 양면성을 두고 판단해야 한다.

마법사의 장소의 개념으로는 상가. 연구소. 길거리. 도심지, 피부관리실. 미용실. 상담실 등이다.

☞ 역방향을 사용할 것인가?

정. 역방향의 의미를 사용할 것인지는 타로 리더의 역량에 달려 있다. 고대 타로에는 역방향 자체가 없었다. 그러니 역방향을 사용할지는 타로 리더의 선택 여하에 달린 것이다. 어떤 학자는 타로를 역으로 사용하는 것은 타로 의미를 왜곡한다고 해서 사용하지 말 것을 해설서에 적어두었다. 그러나 현재 많은 타로 유저들이 역방향을 사용하고 있다.

타로의 시초는 역방향을 고려하지 않고 만들어졌지만 뒤집혀 나온 카드는 우연의 일치가 아니기 때문에 해석할 필요가 있다는 논리도 많아 역방향을 사용하게 되었다고 한다. 문제는 역방향에 따른 매뉴얼의 의미가 타로 리더 자신이 선택하는 것이지, 절대 해설서에 따르는 것이 아니다.

따라서 자신이 느끼는 것을 표현하는 것이 리딩에 있어서는 가장 중요한 것이기 때문에 만약 자신이 역방향에 대한 믿음과 확신이 있으면 그대로 밀고 나가야 한다. 점을 치는 주체는 자신이다. 타로에는 특별한 방식이 정해져 있는 것이 아니어서 점보는 방식은 얼마든지 자유롭게 구사하실 수 있다.

그래서 타로 공부는 비법이 따로 있는 것이 아니다. 자신이 매뉴얼을 만들어 확신하고 통변을 하시면 자신의 방식으로 점사가 나오게 되어 있다. 여러분도 실전에서 경험을 하시다 보면 분명 책에는 이런 의미였는데 자신이 추리하는 방식으로 키워드를 만들어 활용하면 거기에 맞는 리딩 경험하게 된다.

☞ 여명쌤의 타로이야기

역학의 세계는 동서양을 구별할 필요 없이 근본적인 원리는 똑같다. 서양 점술의 타로가 국내에 도입된 지는 얼마 되지 않았지만 점술 영역 부분에서 현재까지는 타로점이 대세이다. 일단 동양 점술보다는 타로 그림을 통해 문점 내담자들에게 시각적인 호기심을 유발하고 불안한 심리상태를 벗어나도록 조언까지 해주는 상담역할이 다른 동양 점술 영역을 압도하고 있다.

그러나 혹자는 서양 점술이라는 타로가 단순 호기심을 유발하는 유희성 점 치는 놀이로 간주하여 무시하는데 그것은 타로의 역사와 배경 및 점술의 원 리를 이해 못 하는 것이다. 특히 타로점의 장점은 힐링 상담을 할 수 있는 부분이 강하기 때문에 단순히 맞추는 점사를 뛰어넘어 고차원적인 점술 상 담이 바로 타로점이다.

따라서 정확한 점사를 분석하여 올바른 조언까지 하는 것이 타로 리더(타로 마스터)의 목적인데 누구나 배우기는 쉽게 배우지만 제대로 활용하기는 사 주명리학보다 더 어렵다는 것이 제 개인적인 생각이다.

이번 강의는 2번 고위 여사제이다. 타로 그림에 있는 상징의 의미를 고려해 서 처음에 타로카드를 제작한 것이 아니고 그림 속에 있는 상징을 타로 리 더마다 주관적인 느낌으로 해설한 것이다.

그래서 보편적으로 공감할 수 있는 키워드도 있고 한 개인의 타로 리더만이 공감할 수 있는 주관적인 키워드도 있다. 그리고 세계 각 나라의 정서나 문 화적 환경요인에 따라 해석이 많이 달라진다.

그러므로 서양에서 들어온 기독교 사상이 많이 스며있는 타로카드를 해석하 는데 우리들의 정서에 맞게 재해석할 필요가 있으니 타로 리더들은 이점을 잘 고려해서 통변해야 한다.

2. 고위 여사제 (The High Priestess)

푸른색은 신비로움, 알 수 없는 비밀이 있어 속을 모른다. 냉정하고 침착하며 고요하다. 푸른색 계열은 직관을 많이 상징하여 자신이 꿰뚫어 보는 힘이 강하다. 고위 여사제는 흑백의 기둥에 앉아 있다. 흑백 기둥이라 성향이 흑백이 분명하여 모 아니면 도이다. 중립적인 입장이며 똑 부러지는 성향이다. 옳고 그름을 완벽하게 판단한다.

보기에는 연약한 여성인 것처럼 보이지만 자기 속을 내비치지 않고 결단력 있게 옳고 그름을 판단하는 객관적인 사람이다. 따라서 사려는 깊지만, 보수적이고 내성적이며 선과 악의 결벽증이 있다. 보름달, 초승달은 직관력. 염세적 생각이고 물은 영감, 직관력을 의미하고 석류는 중세기에 부, 재산의 상징으로 나타난다.
석류가 사람 뒤에 있어 물욕에는 관심이 없고 쳐다보지 않는다. 손에 쥐고 있는 토라(율법서)는 높은 지혜와 학식을 의미하고 입이 무거워 비밀을 지키며 신뢰가 있는 사람이다. 합리적인 사고를 하며 지혜롭고 어느 한쪽에 치우치지 않고 합리적인 결정을 한다.

굉장히 냉정하지만 약한 사람에게는 같이 눈물을 흘리는 감성적이면서 여자이다. 상대방에게 절대 피해를 주지 않고 자기 혼자서 다 감수하지만, 아니라고 생각하면 뒤도 돌아보지 않는 냉정함이 있다. 깡다구가 있어 정면 돌파한다.

상대방이 거짓말을 하면 용서를 못 한다. 직관력이 있고 영감, 감성이 풍부하다. 피곤한 여자이지만 한번 마음을 주면 변함없이 해준다. 또한 남자를 이끌어가는 여자가 많다.

부정적인 면에서는 의심과 질투도 강하고 꼼수도 막 부린다. 결벽증이 심한 완벽주의자이며 깐깐하고 학벌 지상주의자이다. 이지적이고 똑똑하지만, 냉소적이며 비밀이 많고 조용하여 신비스러운 여자이다.

악마 카드와 여사제 카드가 함께 나온다면 속궁합 때문에 못 헤어지고 불륜 관계가 많으며 우울증에 시달린다. 어떻든 이 카드만큼이나 비밀이 많은 카드도 드물다.

고집이 세고 정신세계에 너무 집착하는 사이비 종교인이나 맹신도에 가깝다. 또한 참으로 얌전하고 신비스러운 여자를 사귀었는데 알고 보니 완전 호박씨를 까는 여자인 경우도 있고 밤에 일하는 여자로 알려진 것처럼 술집에서 일하는 사람일 경우도 있다.

애정운으로는 독신녀가 많고 외로운 여자이지만 남자친구들은 많다. 남자친구에게는 잘하나 이성으로 다가오면 냉정하게 끊어 버린다. 결혼은 늦게 해야 하고(30대 중반 이후) 결혼해도 평생 일을 해야 한다(전문직),

남의 연애 상담은 잘해주나 자기 스스로는 연애 못 한다. 결혼을 안 한 사람이 많아 가족과 함께 사는 독신녀, 독신남이 많다. 만약 현재 연애를 하더라도 애인이 군인, 유학생 등으로 실질적인 데이트가 어렵다.

애정운의 부정적 측면으로는 이혼한 독신녀가 아니면 독신(노처녀)이 많고 순결 상실, 속도위반, 비밀이 많아 세컨드, 불륜이나 바람둥이가 많다. 그러나 성적 매력이 너무 없어 연애를 전혀 하지 못하는 때도 있다. 애정운의 긍정적 측면으로는 플라토닉 러브(정신적 사랑), 처녀, 순결한 사랑을 한다.

고위 여사제의 재물 운은 돈 잘 버는 것과는 거리가 멀고 소비는 많지 않다. 돈과는 인연이 없고 본인이 돈을 따라가지 않는다. 금전거래를 하면 남에게 다 뺏기고 보증, 투기하면 사기당한다.

그래서 돈을 안전하게 관리를 해야 하고 사업을 하면 안 된다. 기본적으로는 돈이 있는데(전에 모아둔 돈, 집안이 부유) 스스로 버는 돈은 떨어진다. 만약 사업을 하고 있다면 합리적이고 사기당하지 않고 잘 이끌어 간다.

직업으로는 기술보다는 공부하는 쪽이 좋고, 보시, 봉사하는 직업이 어울리고 병원 관련일, 간호사, 의사, 전문직, 작가, 교사, 종교인, 학자, 교수, 연구직, 비서, 카운셀러, 역술가. 무속인, 정신세계의 추구, 회계, 철학, 법, 지식. 독서. 수험생, 문학. 예술 등이다.

질병으로는 여성 생식기 질환, 자궁, 신장, 방광, 불임, 관절염, 치질, 결벽증, 소심함, 신경성 위염, 두통, 우울증, 불면증, 건망증을 조심해야 한다.

고위 여사제 장소의 개념은 서점, 세미나실, 도서관, 철학관, 산부인과, 요양원, 교회 등을 의미한다.

---

2. 고위 여사제 (The High Priestess)

[긍정적 측면]

1. 통찰력. 직관력. 지혜. 두뇌 명석. 법 공부

2. 정신세계를 추구한다. 형이상학적 지식. 정신적 사랑

3. 침착하여 말을 조심 있게 한다. 꼭 할 말만 한다.

4. 비밀을 지킨다. 침묵의 힘. 차분하고 냉정하다.

5, 혼자 있는 시간을 중시하고 말수가 적고 내성적인 사람이다.

6. 내조를 잘한다. 신비로운 매력. 순수한 여자

7, 숨겨진 빽이 있다.

---

2. 고위 여사제 (The High Priestess)

[부정적 측면]

1. 너무 꼼꼼하여 결벽증이 심하다. 지나친 완벽주의

2. 실제 안 좋은 비밀을 가지고 있다.

3, 성적 매력이 없다. 독신주의

4. 고집이 세고 까다롭다.

5. 잘 파악이 안 되는 사건, 사람

6. 사고의 논리가 약하다.

   알맹이가 없는 표면 지식을 추구한다.

7. 지나치게 소극적이거나 인내심이 약하다.

8. 부인 질환 가능성이 크다.

9. 순수하지 못한 여자

   고백할 수 없는 비밀스러운 사랑을 한다.

10. 정신세계에 지나치게 집착한다.

11. 이중적 마음으로 비밀이 많다.

12. 강제적으로 강간. 납치당한다.

☞ 보충 설명

타로카드에 나오는 그림 속에 남성과 여성 이미지가 있다. 이 고위 여사제는 수녀 같은 느낌이고 여성으로 보이지만 때로는 남자로 볼 때가 있으니 타로 그림 자체가 여성 이미지이면 여자로만 판단하면 안 되고 때로는 남성일 수도 있고 또 다른 사물이나 장소의 이미지로도 표현할 수 있다.

이 고위 여사제는 정신세계가 발달하여 있고 외유내강형이고 차분하고 침착하다. 이런 성향이 부정적인 경우는 속을 알 수 없는 성향이 나올 수 있고 까칠하며 엉큼할 수가 있다. 또한 애정운을 볼 때도 연애를 못 하는 때도 있지만 엄청 호박씨를 까면서 겉과 속이 전혀 다른 바람둥이도 많다.

따라서 항상 타로를 볼 때 상황에 따라 이 양면성을 분석하는 사유가 통찰력이 넓어져 응용할 수 있는 능력이 생긴다. 그래서 무조건 전체적 암기보다는 기본 키워드에 스스로 키워드를 확장해 나가는 사유를 해야 한다. 그만큼 생각을 많이 해야 하고 상황에 따라 해석이 다변화하여 타로리딩이 오히려 사주나 다른 동양 점술학 보다 더 난해할 수도 있는 것이다.

3. 여황 (The Empress)

바탕이 노랑색이라 풍요로움을 가지고 있다. 월계관은 높은 위치의 신분이나 성취한 여성을 나타내고 왕관, 봉은 권력, 부유를 의미하고 큐션(양탄자)는 편안하고 안락한 부유를 상징한다. 여성성(하트모양)은 여황이 여성스럽다. 사랑스럽다는 것을 의미한다.

입고 있는 옷은 임신한 여성일 수도 있고 부잣집 외동딸(공주) 일수도 있고 사모님 일 수도 있다. 밀밭은 풍요로움이고 부자를 상징한다. 여자로서 인정을 받는 사람이고 표정이 여사제와 여황은 완전히 다르다.

석류가 옷에 그려져 있어 본인이 경제적 능력을 가지고 즐기는 사람이다. 부잣집 외동딸 같은 느낌이다. 하얀색의 긴 드레스에 그려진 석류는 다산을 상징하고 하얀 드레스 역시 편안함과 우아함을 나타내는 듯 보여진다. 고된 일을 하는 여자라면 절대 입을 수 없는 의상이다.

여황은 고생을 안해서 다른 사람의 고생을 모른다. 같은 부류의 친구들이 보면 상냥하고 싹싹하지만 다른 부류의 사람들이 볼 때는 이 여황을 도도하게 보이고 욕심 많고 공주병이 심하게 보인다. 실제적으로 여황이 몰라서 못해준다.

여성스럽고 예쁘지만 까칠하고 천방지축 같은 성향을 가지고 있다. 공주병이 심하고 여성적이며 감성적이고 애교가 많으며 남자들에게 인기가 많아 양다리는 기본이다. 끊임없이 구애를 받는다.

마음이 넓고 인정이 많지만 때로는 질투심도 있다. 사랑에 빠지는 스타일이고 여성스러운 매력과 따뜻함과 넉넉함이 있다. 예술적 재능이 뛰어나며 여성대상으로 하는 일에 종사한다. 연애하는 사람이 이 여황 카드를 뽑으면 결혼과 출산이 일사천리로 진행이 된다.

모성애가 있는 어머니나 연상의 여인이며 아주 사랑스러운 여자를 의미한다. 또한 결혼한 여자로서 임신, 다산, 출산을 뜻한다. 돌싱녀인데 이 카드가 나왔다면 재혼할 가능성이 있다.

남자가 여황이면 자상하고 싹싹하고 애교 있고 감성적이고 섬세하다. 재물복이 많고 결혼한 남자가 뽑으면 처복이 있다. 물질적 풍요의 상징을 의미하고 돈이 많고 사업이 잘된다.

부정적 측면으로는 단순하고 잘 속는 편이며 게으르고 폭식을 하여 비만형이며 사치나 허영심, 집착이 강하고 질투심도 강하여 공주병이나 나쁜 엄마의 특성이 나온다. 자녀에 대한 지나친 사랑과 집착, 논리보다는 감성에 과도한 몰입한 모성애이다.

직장도 만족하지 못하여 자주 옮겨 다니고 놀고 먹는것을 좋아하며 명품을 좋아하는 외모지상주의이다. 또한 사랑받지 못하는 여자이거나 불임, 유산, 낙태, 불합격을 의미하거나 공장에 기계가 고장이 나서 생산력이 저하되는 경우도 있다. 지나치게 외모만 가꾸는 스타일이거나 재물, 사업, 연애운도 안좋다.

결혼운은 매력적이고 이상형이며 결혼을 전제로 만남을 가진다. 재물운은 돈을 많이 벌수 있지만 지출도 클 수 있다.

직업으로는 부동산투기, 유치원교사, 예술가, 전문직. 미용업. 의류 매니저. 패션 디자인, 보석, 요리사, 사업가. 전문직, 쇼핑몰. 패션업. 침구업. 의류업, 농장운영 등과 인연이 있다.

질병으로는 비만, 요통, 부인과질환, 불임, 자궁, 생리통, 갑상선, 중풍, 마비, 두통. 스트레스. 울화병, 어깨걸림. 관절통증 등을 조심해야 한다.

여황 카드의 장소의 개념은 언론기관, 고급상점, 미용실, 패션샵, 공원, 산,

들, 농장(학교) 등이다.

---

3. 여황 (The Empress)

[긍정적 측면]

1. 모성애가 풍부한, 성숙한 여자

2. 임신, 출산, 다산, 생산력이 뛰어나다.

3. 물질적 원조가 많다. 물질적 풍요

4. 남으로부터 주목의 대상이 된다.

5. 부모가 되고자 하는 사람에게는 긍정적인 카드이다.

6. 사람들과 소통을 해야 이루어진다.

7. 물질적 풍요가 정신적 만족감과 행복을 가져다 준다.

8. 사랑받고 있는 여자.

9. 단기적 임무의 완성(장기적 임무의 완성은 세계카드이다)

10. 성적매력이 좋다.

11. 전화를 자주 받는

12. 남편보다 사회활동을 활발히 하는 아내

3. 여황 (The Empress)

[부정적 측면]

1. 주목을 받지 못해 질투와 권태를 느낀다. 매력이 없다.

2. 가난과 가정 위기, 돈 없고 나이만 많은 여자

3. 공장이 오래되어 기계가 낡아 제품 불량이 많은,

   생산력 저하

4. 사치. 낭비로 과도한 생활을 한다.

5. 사람들과 소통이 안 된다.

6. 불임, 유산, 낙태, 원치 않는 임신, 기형아 출산 가능

7. 남자 입장에서 여자복이 없는,

8. 임무 미완성, 시험 불합격, 중도하차

9. 지나치게 겉치레에 탐닉한다.

10. 물질적 손해를 본다.

11. 전화를 안 받거나 전화가 안 온다.

☞ 보충 설명

이런 여자(여황)는 누가 좋아한다 해도 도도함이 크다. 이런 여자를 만나거나 사귈려면 물질적으로 많이 바치거나 들어가야 한다. 여성이라면 사장급의 우두머리이고 남자가 이 카드를 뽑아도 풍요로 본다. 앞으로 배울 마이너 카드 조합에 따라 여황의 성향을 더 자세히 알 수가 있다.

예를 들면 여황 + 7 소드는 약간 나대는 여자이고, 여황 + 펜타클 에이스의 성향은 허영과 명품을 밝히는 사람이며, 여황 + 소드 에이스의 사업 성향은 여성 사업가이다. 여황 + 컵 에이스의 애정운은 감성이 풍부하고 매력이 있어 연애를 잘하고, 여황 + 소드 계열이 나오는 성향은 톡 쏘는 스타일에 공주병이 있다.

메이저 카드 그림 속에 나오는 상징체계를 살펴보면 색상. 식물. 동물. 자연. 사물 등이 있다. 이런 상징체계를 이해하기 위해서는 기본적으로 타로의 역사적인 배경과 기독교의 영향. 신화 등을 이해해야 한다. 이런 상징체계를 완전히 이해하면 그림만 보아도 키워드를 유추해낼 수 있다.

메이저 카드 22장을 보면서 그림 속에 나와 있는 상징을 하나씩 하나씩 이해하고 넘어가야 한다. 처음에는 타로 1장씩 자세히 그림과 익숙해져야 하며 메이저 카드 22장과 마이너 카드 40장을 구분하고 또한 인물(궁정) 카드 16장을 구분하여 계속해서 카드를 보고 이건 메이저 카드 몇번. 이건 마이너 카드 완즈 5번. 이건 인물 카드 왕. 등을 구분하는 연습을 먼저 해야 한다. 절대적으로 바로 외워서 타로카드를 분석하려는 조급증을 가지면 안 된다.

4. 황제 (The Emperor)

딱딱한 대리석 의자에 앉아 있는 사람은 중세 시대에는 절대 권력을 가진 사람이다. 양 머리는 제물을 바친 동물이고 권력을 가진 사람만 가지고 있고 손에 들고 있는 앙카 십자가는 왕을 표시하고 구슬은 권력을 의미한다. 붉은 색은 열정, 다혈질 성향이고. 다리가 무릎까지 나와 있는 것은 황제 카드 뿐이다. 자기 권위를 나타내고, 산양 머리는 고집, 불굴의 의지, 용기를 나타내고, 수염은 연륜을 의미한다.

눈이 사선이라 의심, 불안한 상태로 남에게 속마음을 내비치지 않겠다는 모습이다. 자기 마음대로 하겠다는 성격이고, 책임감은 있지만 독선적이고 독재적이다. 다른 사람과는 타협을 거부하며, 완고하고 고집, 권위적이다. 자존심도 강하고 권위적이라 본인의 생각만 맞는다고 한다. 권력, 명예, 부를 다 가지고 있고 감히 범접할 수 없는 영향력 있는 인물이다.

본인이 다 해야 한다는 생각으로 남들에게 대접을 다 하지만 본인이 힘들 때는 도와주는 사람이 없어 외로운 사람이다. 가정에는 책임감이 강하고 배우자를 밖에 나가서 일을 못 하게 하며 살림하는 배우자를 원한다. 배우자를 밖으로 보내면 본인이 무능력하다고 보일까 봐 자존심 때문에 내보내지 않는다.

카리스마가 있고 책임감이 강하여 아버지로서는 최고이고, 자식이 원하는 것을 다해주고 혼낼 때는 아주 과감히 다룬다. 가부장적이고 외골수이며 승부욕이 강하다. 능력이 있는 가장으로서 남성적 매력이 가장 강하고, 돈이 많다. 남 밑에 있어도 최고가 되기 위해서 책임감 있게 일을 잘한다. 말단은 싫어하고 고위직을 원한다.

여자가 황제를 뽑으면 여장부 기질이 있다. 황제는 남들에게 보여주기 위해서 가식적인 부분도 많다. 황제는 격식과 틀에 얽매이며 고정된 사유체계를 갖고 있어 지금까지 해왔던 방식을 추구하며 기득권을 유지한다. 사업가나 전문직에 종사하다가 나이가 들면 정치계로 나간다. 여자들에게 인기가 많아 여자친구가 오해를 할 수 있지만 이 황제는 자기가 좋아하는 사람은 오로지 한 여자만 본다. 그래서 함부로 바람은 피우지 않는다. 연장자(연상)와 연애를 하며 좋은 조건의 결혼을 의미한다. 황제는 공공장소에서 연애하며 맞선을 나타낸다.

부정적 측면으로 황제는 독불장군이고 고지식하고 고집이 세고 오만하다. 자격 미달이 되고 권위만 내세우고 잔소리하고 혼자 잘난체하는 아버지나 직장 상사를 의미한다. 또한 의지력이나 결단력이 나약하고 통제력을 상실한다. 황제는 감정이 메마름이 있어 자기 밑에 믿을 만한 사람을 두고 그 사람 보고 밑에 있는 사람을 관리해야 좋다.

연애는 연상의 남자일 수도 있으며 일방적인 사랑에 집착하고 험악한 스토커가 될 수 있다. 의처, 의부증이 있어 상대를 억압하고 자기 방식으로 힘들게 한다. 연애를 못 한다면 감정표현이 서툴러 고백을 못하며 답답하다.

직업으로는 조직의 리더, CEO, 법조인, 경찰, 전문가, 고위공무원, 사업가, 사장, 간부급, 영업사원, 정치인(정치와 관련), 금융, 공무원, 사업가, 외교관, 교수, 연구원 등이 있다. 질병으로는 중풍, 간질환, 지방간, 고혈압, 협심증, 심근경색, 스트레스 만성 질환 등을 조심해야 한다. 황제의 장소의 개념은 시청, 공공장소, 행정관청, 건물, 본사, 스포츠센터 등이다.

---

4. 황제 (The Emperor)

[긍정적 측면]

1. 강한 의지와 수단으로 성공한다.

2. 경제적 능력과 권위. 지배력이 있다.

3. 가정을 소중히 생각하고 지킬 수 있는 부성의 권위

4. 카리스마. 자수성가. 강력한 지도력이 있다.

5. 노력에 관한 결과가 있다.

6. 감정보다는 이성을 중시한다.

7. 격식과 틀에 중시하여 기존의 기득권을 유지한다.

8. 현실적인 처리능력이 뛰어나다.

9. 조언으로는 아버지나 나이 많은 어른의 말을 들어야 한다.

---

4. 황제 (The Emperor)

[부정적 측면]

1. 권위만 내세우거나 의지가 나약하다.

2. 지도자 자격이 없다.

3. 애정 관계에서 지나치게 보수적이고 강제적이다.

4. 제멋대로 행동한다. 거만하고 고지식하다.

5. 현실 인식이 약하고 실무능력이 없다.

6. 사업적 능력이 부족하고 돈이 나간다.

7. 통제력을 상실하거나 오용, 남용, 과용한다.

8. 잔소리만 하고 신뢰하지 못하는 직장 상사나 윗사람

9. 구체적이지 못하고 모호하다. 불안정

☞ 보충 설명

황제는 아버지를 의미하기도 하며 완벽주의자이고 굉장한 노력가이고 세상 경험이 많이 한 사람으로 대처 능력이 뛰어나다. 그리고 황제 옷 안에 갑옷을 입고 있어서 언제든지 싸울 준비가 되어 있는 모습이라 미래에 이 황제 카드가 나왔다면 경쟁에서 이기기는 하나 많은 희생을 치르고 올라가는 것으로 본다.

메이저 카드 22장을 처음 공부할 때는 인물 성향(성격) 위주로 파악하면 애정 스타일. 진로 적성과 직업을 유추해 낼 수 있고 그다음 건강. 재물 등을 분석할 수 있는데 제일 까다로운 것이 통변을 할 때 특정 상황이나 사물을 유추하는 다양한 확장 키워드 분석 능력이다.

예를 들면 이 황제 카드가 장소로 적합한 곳은 공적 장소이고 누구나 인식할 수 있는 공공장소이며 널리 알려진 곳을 말하며 애정운을 볼 때는 단순한 애정운보다는 결혼을 의미하고 결혼 전제의 연애가 필요하다고 말할 수 있다.

타로카드를 분석할 때 너무 인물 위주의 성격으로만 공부를 하게 되면 질문에 따른 다양한 통변을 할 수가 없다. 그렇지만 성격(성향)을 알게 되면 진로 적성. 애정. 직업. 대인관계 등을 유추해 낼 수 있어 제일 중요하다.

그다음 질문내용에 따른 다양한 확장 키워드를 분석해야 한다. 그래서 질문내용을 잘 숙지하고 그 내용에 따른 유사한 타로카드의 키워드를 확장해 나가면 질문에 맞는 통변 스토리가 전개할 수 있다.

단순히 가부 결정이나 좋다 나쁘다 의 길흉만을 분석할 때는 원 카드 1장으로도 충분히 분석할 수 있지만 전반적으로 질문에 대한 원인 과정 결과 조언까지 다양한 통변을 하기 위해서는 카드 배열에 따른 전후 관계의 적절한 키워드 분석 능력이 절대적으로 필요하다. 따라서 처음에는 3 카드 배열법으로 연습하고 나서 매직 7 카드 배열법을 적용해서 통변 연습을 질문상황에 맞추어 다양하게 분석해야 한다.

여 교황	짝사랑
은둔자	냉정한 사람
심판	사랑의 고백
연인, 운명의 수레바퀴	사랑 기회
황제, 교황	혼담, 맞선
고위 여사제, 태양, 세계	결혼, 약혼
광대	사랑의 편력
악마, 달	불륜, 삼각관계
죽음, 탑	실연, 이별, 재결합
심판	부활, 다시 태어난 사랑

5. 교황 (The Hierophant)

원래 타로카드는 중세기에 나올 때 성경을 기초로 나온 것이다. 교황은 온화하고 자상한 모습이고 황금열쇠 2개는 어떠한 문제를 해결하는 중재 역할이고 두 기둥의 회색은 평등, 공평을 의미하고 한쪽으로 치우치지 않다는 것이다.

교황은 선과 악을 선별하여 벌을 주는 것이 아니다. 사랑과 자비로 교화하고, 자상하고 베푸는 것을 좋아하고 오지랖이 넓다. 사람은 좋으나 가정적이지 못한다. 착실하고 성실하나 집안일보다는 집 밖의 다른 사람들을 먼저 도와준다. 우유부단하고 고지식하며 거절하지 못한다.

법 없이도 살 수 있는 사람이고 19세기 도덕 선생님 같아 고리타분하다. 인간성이 좋고 법 없이도 살 수 있는 사람이며 자상해도 고리타분하여 아버지로서는 인기는 없다. 형식을 잘 따지고 애 늙은이 같은 스타일이다.

남들이 부탁하면 거절하지 못하고 잘 도와주어. 그래서 여자들이 많이 따른다. 연애는 오래가도 잘되지 않는다. 결혼한 여자가 욕심이 많으면 이 남자와는 같이 살기가 어렵다. 연상과 인연이 있고 윤리, 도덕, 법규에 맞게 결혼한다.

친절하고 편안한 사람이며 이해심. 포용력도 있지만 그만큼 참견도 한다. 연애운에 있어서 이 교황 카드가 긍정적으로 나오면 때에 따라서는 결혼도 암시한다. 또한 부정적으로 나오면 중재 중매가 깨진 것이니 인연이 없는 것이 된다.

이해심이 많고 말을 잘 들어주나 잔소리가 심하고 형식을 잘 따지며 애늙은이 같다. 원리 원칙적이고 보수적이며 순응을 중시한다. 전통 방식을 고수하고 가부장적이다. 황제보다는 부드럽고 교황은 온화하고, 조언자(학교 선배, 어떤 경험자) 역할을 한다.

해줄 건 다해주지만 간섭(대가)하고, 어떤 문제를 해결할 때 종교적(신)으로 해결해야 한다. 교황은 사업은 안되고 금전운이 약하다. 먹고 사는 정도는 가지고 있다. 주변 사람들에게 중재하고 베풀고 가르쳐주고 인도해주는 것은 아주 뛰어나다.

사업 재능은 부족하나 교육, 종교, 법 관련분야에서 돈을 번다. 사업 운이나 기타 여러 가지 사항으로 타로점을 볼 때 이 카드가 나오면 귀인의 조언을 받을 것 또는 귀인을 만나게 되어서 조언받게 된다는 뜻이 있다.

조정역할, 판결, 재산과 관련된 민사가 많다. 법률, 혼인 서약, 소개팅, 혼담(결혼), 맞선, 학교, 종교기관(성당, 교회), 배움의 장소, 결혼식 주례, 증인, 중매자 등을 나타낸다.

직업으로는 성직자, 종교인, 교사, 중매인, 판사, 카운슬러, 대법관, 판사, 중매쟁이, 학원장, 카운슬러. 심리상담가 등이다. 질병으로는 심장, 혈액순환, 고혈압, 동맥경화, 흉부질환. 수족냉증 등이다.

장소 개념으로는 종교기관, 결혼소개소, 결혼식장, 학교, 회의실 등이다.

---

5. 교황 (The Hierophant)

[긍정적 측면]

1. 보수적이고 제도권을 중시하고 전통에 순응한다.

2. 마음을 편하게 해주는 조언자이지만 잔소리한다.

3. 운명적 연인이나 귀인, 도움을 주는 사람

4. 사회체제를 수호하는 보수적이며 덕망 높은 인사

5. 윗사람의 조언이나 전문가의 지도를 받아라.

6. 좋은 인연으로 결혼한다. 천생연분

7. 서로 가치관이 맞아 겉궁합이 좋다.

8. 종교, 철학 등 추상적이고 거대 담론적인 분야 추구한다.

9. 가방끈이 길다.

10. 자신보다 훨씬 연상이다.

5. 교황 (The Hierophant)

[부정적 측면]

1. 가식적이고 허례허식한다.

2. 도움이 안 되는 귀인이거나 원조자가 없다.

3. 윗사람 조언이나 도움을 거부한다.

4. 파격적인 행태를 보이거나 비전통적이다.

  규율이나 예법을 안 지킨다.

5. 잔소리, 융통성이 없고 고지식, 자기 말이 최고다.

6. 인연이 없는 연인이라 결혼이 안된다. 서로 가치관이나 집안끼리

  안 맞다.

7. 사이비 종교. 영적 지혜가 부족하다. 사기꾼

8. 동업하면 안 좋다.

9. 가방끈이 짧다.

10. 남을 믿지 말고 조심해야 한다. 사기당한다.

11. 너무 보수적이어서 답답하다.

12. 자기 분야만 하는 편협한 사람

☞ 보충 설명

지금까지 배운 메이저 카드 중에 정신세계와 관련된 것은 고위 여사제와 교황 카드이고, 앞으로 배우게 될 은둔자 카드가 있다. 그런데 이 교황 카드는 색상이 빨간색이 강하다. 이 빨간색은 열정. 세속적이고 현실적인 부분이 강해서 단순히 종교적인 카드라고 해서 비세속적이고 정신세계로만 추구해서는 안 된다.

교황의 스타일은 고지식하고 융통성이 없어 사람은 좋은데 친구들이나 주위 여건에 따라 끌려다니기가 쉽다. 오지랖도 넓어서 집안일 보다는 밖에 나가 이 사람 저 사람 다 도와주고 신경 써주면서 부탁하면 거절을 못 하니 호인이라는 말을 많이 듣지만, 실속이 없는 경우가 많다.

부정적인 측면에서 본다면 호인이라 욕심이 없을 것 같지만 세속적이고 현실적인 욕망이 있어 사기를 치거나 사기를 당할 가능성도 있다.

항상 타로카드를 볼 때는 긍정적인 측면과 부정적인 측면 양면성을 동시에 염두에 두고 상황에 따라 분석해야 하는데 단순하게 카드의 인물 성향 위주나 단순하게 핵심 키워드로만 판단해 버리면 적절한 통변이 안되니 정방향 역방향을 따진다..

대부분 정방향으로 나오면 긍정적인 면이 강하고 역방향으로 나오면 부정적인 면이 강한데 역방향으로 나와서 부정적인 면을 해석해도 전후 상황에 맞는 통변이 안되는 경우도 많아 앞에서도 설명했지만, 저 여명타로는 정. 역방향 구별 없이 정방향이거나 카드 자체가 긍정적인 측면이 강해도 앞뒤 상황이 부정적인 측면이 강하면 부정적으로 해석한다.

코디, 편집 관계	**마술사**
교사, 작가, 비서	**고위 여사제**
미용사, 패션 관계	**여왕**
은행원, 공무원, 실업가	**황제**
디자인, 기획관께	**스타, 마술사**
판매, 영업, 세일즈	**전차**
스튜어디스, 통역	**세계**
예술가, 자유업	**광대**
스포츠, 건강사업	**힘, 태양**
접대 업, 탤런트, 연예 관계	**달, 스타**

6. 연인 (The Lovers)

태양이 반만 나와 있어 절반이 완성된 것이다. 천사는 신의 계시를 전달하는 것이고 하나님 심부름꾼이고 남자 뒤에 있는 불의 나무는 욕망의 나무라 남자가 사랑하다가 다칠 일이 생긴다. 여자 뒤에 있는 사과나무에 뱀이 감겨 있는 것은 아담과 이브의 원죄를 의미하는데 여자가 유혹당한다.

두 사람이 사랑의 시작이 순탄하지 않으며 힘들게도 갈 수도 있지만 신의 계시로 운명적인 연인이 된다. 알몸의 남녀는 진실하고 솔직한 순수함을 나타낸다. 천사의 날개는 해외 운이 강하고 외국 관련된 일을 하고 여행을 가는 것을 의미한다. 외국에 가려는 사람이 많고 외국 제품을 좋아한다.

여자 쪽은 꾸미는 것을 좋아하고 집안에 아기자기한 것을 가꾸는 것을 좋아한다. 가식적인 면이 있어 보여주는 연애를 좋아하며 능력은 안 되면서도 과시하려는 성향이 있다. 연애는 첫눈에 반하며 감성과 육체의 결합이며 굉장히 깊이 빠지는 사랑이고 악마의 사랑은 감성적인 사랑 보다는 육체적 교류의 사랑이다.

여왕 카드는 애교가 있는 여성스러운 것에 반하여 연인 카드는 성숙한 애인으로서 여성스러움이고 정신적. 낭만적, 운명적인 사랑이다. 친구에서 연인으로 발전하는 때도 있다. 연인 카드는 솔직함, 매력. 유혹. 끌림. 사춘기. 성적욕망이 강하고 축복받는 결혼, 임신을 뜻하며 좋은 동업자 관계를 뜻한다.

부정적 측면의 애정 관계는 삼각관계, 양다리이고 시기나 질투에 의한 방해로 결혼이나 동업이 성사되지 못하는 경우가 있다. 파혼. 이혼, 배신, 불륜, 상대방이 눈이 높거나 낙태, 순수하지 못한 연인관계이거나 유혹에 약하다. 여성이 눈이 높거나 무늬만 애인 관계이고 서로 추구하는 바가 틀리다.

따라서 사귀기 전이라면 서로의 세부 사항을 모두 알고 난 후 선택해야 한다. 여자는 남자의 위를 쳐다보고 있어 정신적 사랑을 추구하며 남자는 여자의 몸을 쳐다보니 육체적 사랑을 갈망한다.

사업은 동업하면 좋은데 동업 관계에서 이러한 카드가 나오면 상당히 연분이 맞는 동업 관계로 그 상태가 오랫동안 유지하게 된다. 직업은 유통, 중개, 커플매니저, 중매인, 디자이너, 연예인, 방송인, 쇼호스트, 예술가, 외국관련일, 소품, 공방, 꾸미는 일이고 동업 관계 등이다.

질병은 심장, 간, 허리, 감기. 비염, 알레르기. 화상 주의를 조심해야 한다.
연인 카드의 장소로는 예술센터. 무대. 영화관, 찜질방. 등이다.

6. 연인 (The Lovers)

[긍정적 측면]

1. 운명적인 사랑으로 천생연분이다.

2. 동업자나 협력자의 복이 있다. 화합

3. 정신적 사랑으로 욕망을 초월한 사랑이다.

4. 소통이 잘되어 선택, 관계가 좋다.

5. 개방적이고 열려 있는 대화를 한다.

6. 학생이라면 여럿이 같이 공부한다.

7. 서로 눈높이를 맞추는 것이 필요하다.

6. 연인 (The Lovers)

[부정적 측면]

1. 겉만 연인이고 속은 연인이 아니다.

2. 이성 간에 눈높이가 맞지 않아서 이루어지지 않는다.

3. 이별, 이혼, 변심, 배반, 비협력적인 태도

4. 불행한 연애이고 형식적인 연인관계이다. 가식적 연애

5. 동업하지 마라.

6. 서로 소통이 안 되어 관계가 깨진다.

7. 위험한 유혹에 넘어간다.

8. 짝사랑, 우유부단,

9. 능력 없는 커플매니저

10. 여자가 눈이 높다.

11. 육체적인 성적 욕망이 강하다. 육체적 사랑

7. 전차 (The Chariot)

성에서 전차가 나와 출발해서 시작되었다. 능력이 있고 추진력이 있고 활동적이다. 월계관은 성취를 뜻하고 바퀴는 이동이고 갑옷은 각오. 보호. 결연함을 표현한다. 초승달은 내면의 부드러움도 있다. 전차의 스핑크스는 프로젝트의 추진 등에 있어서 여러 가지 어렵고 모순된 조건들을 잘 다루어서 완수하여야 한다는 뜻이다.

스핑크스의 색깔이 검고 흰 이유가 그것이다. 황제 카드는 권력을 유지하지만, 전차 카드는 권력을 쟁탈하기 위한 혁명가이다. 광대는 쓸데없이 돌아다니지만, 전차는 움직일 때마다 성과를 본다. 오래 앉아 있는 것은 못 참아 움직여야 한다. 부지런하고 아주 남자다운 사람이다.

집에서도 쉬지를 못하고 항상 바쁘며 주말에도 취미생활도 하는 부지런한 사람이다. 본인이 직접 나서서 일하고 행동하고 그래야 잘된다. 남에게 미루기를 싫어하며 승리하기 위해 돌진으로 싸우러 간다. 추진력이 있고 강직하며 역경을 이겨낸다. 성급하게 굴지만 않으면 성공한다.

연애는 적극적인 표현을 잘한다. 사랑을 고백하고 행동으로 옮기는 사랑을 한다. 좋아하는 여자한테는 잘하나 주변 사람들한테 욕을 먹는 경우가 있다. 주변에 신경 안 쓰고 움직여 적이 많다. 부정적으로는 바람을 피우거나 양다리, 유부남, 색을 과도하게 밝히는 사람이며 변태 기질이고 폭력적이고 강압적이라 강제 겁탈(탑, 죽음, 황제)을 한다.

사업에 강하고 금전운은 좋으나 재물은 수입과 지출 조절 잘해야 한다. 성격적으로 남을 말을 무시한다. 모난 사람, 강압적(소통이 안 됨), 약간 폭력적인 경향 (전차+타워+황제: 건달 출신 많다), 카리스마, 진취적, 직선적, 남성적, 성격이 급하고 남의 말을 무시하고 듣지 않으며 자기의 생각을 남에게 주입 시키려고 한다.

목적이 있는 여행이나 출장을 간다, 이동수, 이사, 이직, 단거리 이동, 매매, 매입, 운전, 경호원, 취업, 두 가지 일을 잘 수행, 직장변동, 사고 수, 근육 무리, 통원 치료, 구급차 등을 나타낸다.

직업으로는 영업직, 운수업, 택배, 돌아다니는 직업, 아나운서, 운동선수, 군인, 경찰, 유통, 판매, 영업, 관광, 여행사, 무역업, 운송 수단에 관련된 일, 카센터. 수송업. 택배. 자동차 관련업종. 화물 지입차. 이삿짐센터 등이다.

질병으로는 근육통, 멀미, 만성피로이며 운동 부족이 원인이 되니 운동하면 치료가 된다.

장소로는 도로. 역. 터미널. 경찰서. 주차장 등이다.

---

7. 전차 (The Chariot)

[긍정적 측면]

1. 승리, 전진, 이동, 의지, 자신감, 강한 통제력

2. 여행이나 이동, 이사 운이 좋다.

3. 어려운 문제를 극복하고 프로젝트 완수

4. 상반된 두 가지 조건을 잘 조절하여 임무를 완수하는

5. TV 출연과 홍보활동을 한다.

6. 타협, 조정, 협상

7. 취업이 가능하다.

8. 문제를 확실하게 해결한다.

7. 전차 (The Chariot)

[부정적 측면]

1. 이사하지 못하고 이동운이 좋지 않다.

2. 자금 부족으로 움직일 수 없는 상황이다. 패배와 좌절

3. 두 가지 상반된 조건을 다루지 못하여 임무를 완수하지 못한다.

4. 자신의 역량을 자신의 사리사욕에 사용한다.

5. 상사에게 대드는 폭거, 하극상이 이루어진다.

6. 빚을 지고 도망가거나 애인을 버리고 도망간다.

7. 의지가 약한 상태. 자신감 상실, 좌절. 도피. 실패

8. 엉뚱한 곳으로 가다.

9. 잠시 기다리고 나서지 마라.

10. 자기중심적 성향이 강하다.

11. 겉으로는 태연하나 속으로는 갈등이 있다.

12. 배달업체가 별로이다.

13. 돈 문제로 연애가 힘들다.

☞ 보충 설명

전차 카드는 이동. 변동. 이사. 이직. 여행 등 현재 상황에서 변화를 가질 때 이 카드가 잘 나온다. 물상 대체로 보면 두 마리 스핑크스를 보고 두 여자나 남자로 볼 수도 있고 두 가지 다른 프로젝트나 직업으로 볼 수도 있으며 돌아다니면서 영업하는 사람. 운동선수. 군인 등 적극적이고 활동적이며 강

인한 성향을 느낄 수 있다.

이것을 부정적인 측면으로 본다면 뭔가 너무 나대다가 사고가 터져 도망갈 때의 모습일 수도 있고 폭력적인 사람. 양다리. 바람둥이. 사업적인 기밀누설로 이익 추구. 퇴직. 이직. 너무 폭력적이고 변태적으로 애인에게 집착할 때. 스토커 등등 여러 가지 상황을 유추해 낼 수 있다.

어려운 문제를 극복하고 변화가 일어나는 문제해결 시점. 상황이나 사람이 바뀌는 전환 시점. 업무 과다로 만성피로. 운동은 과다해서 근육통이나 반대로 운동이 부족해서 운동해야 치료가 되는 경우 등 몇 가지 큰 키워드를 가지고 여러 가지 긍정적, 부정적 상황을 다양하게 유추할 수 있는 확장 키워드를 분석해야 한다. 그만큼 깊이 사유하고 통찰력이 필요한 것이 타로 공부이다.

8. 힘 (Strength)

노란빛은 풍요로움이고 월계관은 무한한 능력을 가졌다는 것이고 뫼비우스 띠는 무한한 능력의 가능성을 지님을 말한다. 푸른색 꽃은 살아있는 기운이고 눈을 내리 감고 있다는 것은 행동을 안 한다. 움직일 수 없다. 휴식하고 싶다. 현재는 진행할 수 없다는 것이다. 정지, 정체되어 있는 힘든 상황이다. 사자는 인생의 위험성, 경쟁자, 적, 공포를 내면적 힘으로 스스로 자수성가한다.

사자를 강아지 다루듯이 하고 있어 강한 힘이 있고 내면의 에너지를 가지고 있다. 그래서 꾸준한 노력이 필요하다. 자기 길을 잘 모르고 있다가 자기 길을 찾으면 자기 분야에서 두각을 나타내어 최고가 될 수 있다. 자기가 가지고 있는 능력은 많지만, 자신이 파악하지 못한다. 그래서 한 우물만 파야 대기만성 할 수 있다.

인생의 힘든 요소를 다 극복하고 내면에는 용기와 배짱이 좋다. 사막에 내다 놔도 살아 올 수 있는 배짱과 용기가 있다. 불가능을 가능으로 만드는 의지력이 있다. 힘 카드는 원수를 사랑하라. 용서, 화해, 인내, 포용, 부드러운 카리스마, 외유내강 등을 의미한다.

애정운으로는 진실한 사랑을 쟁취(고난극복) 두려움과 맞서 과감히 극복한다. 나보다 괜찮은 조건의 사람과 연애하는데 남자는 여자 조건이 좋고 여자는 남자 조건이 너무 떨어진 경우이다. 희생정신이 강하고(맞고도 산다) 다 맞추어 주는 곰 같은 여자이다.

힘카드 + 펜타클이 나오면 믿음직스럽기는 한데 재미는 없고 지루한 연애이다. 부정적으로는 일방적 사랑. 집착으로 결혼은 조금만 뒤로 미루는 것이 좋다. 손재주가 좋고 힘을 쓰는 육체노동자에 적합하다. 지금은 힘든 시기이니 조금만 노력하면 원하는 것을 가질 수 있다. 사업은 진행이 더디어 노력해야 하고 포기는 아니다. 진로는 결과가 빨리 안 나오고 대기만성형이다. 재물은 인내를 가지고 돈을 모아야 하며 소비를 억제해야 한다.

직업으로는 조련사, 수의사, 애견미용, 미용업, 스포츠, 운동선수, 트레이너, 의류업, 건강사업. 매니저, 치료사(알콜. 약물중독. 청소년범죄 등), 감독. 치과의사 등이다. 질병으로는 두통, 심장, 치과질환, 턱관절, 정신과, 뇌 질환 등을 조심해야 한다. 장소로는 스포츠 센터. 동물원. 애견센터. 치과 등이다.

8. 힘 (Strength)

[긍정적 측면]

1. 불굴의 의지력, 인내, 배짱이 강하다.

2. 신뢰할 수 있는 여성

3. 여성이 남성을 잘 다스린다.

4. 정신적 힘으로 물질적 욕망을 극복한다.

5. 소비욕, 성욕을 제압한다.

6. 역경을 이겨내고 승리를 쟁취한다.

7. 남자를 칭찬해줄 필요가 있거나 남자에게 맞추어라.

8. 부드러움으로 본능을 제압한다.

8. 힘 (Strength)

[부정적 측면]

1. 자기 멋대로 행동한다. 강압적

2. 자기 확신이 부족하고 두려움을 이기지 못한다.

3. 겁이 많고 인내심이 약하고 의지와 용기가 부족하다.

4. 본능에 사로 잡혀 소비욕. 성욕을 절제하지 못한다.

5. 두 사람 사이의 신뢰가 금이 간다.

6. 지나치게 힘으로 사람을 제압한다.

7. 힘의 과용, 오용, 남용한다.

☞ 보충 설명

힘 카드의 대표적인 키워드는 인내. 의지력. 희생정신이다. 사자를 어루만져 주고 있다는 것은 현재 주어진 상황이 힘들 수 있고 극복해야 하는 시간이 필요하여 당장 결과를 내기에는 역부족일 수 있지만 결과적으로는 뫼비우스 띠의 의미가 무한한 능력의 가능성을 내포하고 있기 때문에 현재 주어진 고난을 극복하게 되면 미래는 대단히 희망적이고 긍정적이다.

따라서 이 카드가 나오면 현재 주어진 현실을 참고 인내하고 받아들이면 원하는 결과를 얻을 수 있다는 결론을 내릴 수 있다.

힘이란 의미는 물리적으로 힘센 사람이란 의미도 가지지만 내면적으로나 정신적으로 강한 힘을 가진 외유내강형이고 겉은 부드러우나 카리스마가 있는 커리어우먼이나 설득으로 주도하는 여성 사업가일 수도 있고 가정에서 남편에게 순종적인 현모양처일 수도 있고 손과 머리를 쓰는 기술력이 뛰어난 사람일 수도 있다.

부정적으로 보면 남편에게 다 맞추어 주거나 맞고도 사는 희생정신이 강하거나 곰 같은 여자일 수도 있다. 아무튼 이 힘 카드는 용서. 화해. 인내. 포용. 용기. 배짱. 의지력. 고난 극복 등을 의미하는 카드라는 것을 이해해야 한다.

메이저 아르카나로 보는 건강운

0. **광대**: 건망증, 우울증, 병약한 체질, 신경, 정신계통 질환

1. **마법사**: 두통, 머리 부분의 질병, 빈혈, 갑상선, 기관지(말을 많이 해서 생긴 병), 혈액순환 장애

2. **고위 여사제**: 밝혀내기 어려운 질병, 신경성, 소화 장애, 무기력증. 신장, 방광, 비뇨기계통 (불임, 아가씨 多)

3. **여황**: 불임, 자궁 외 임신, 부인과 쪽 질환, 갑상선. 신장, 방광(자궁, 임신으로 인한 병)

4. **황제**: 고혈압, 간이나 심장쪽의 질환, 동맥경화, 심근경색, 당뇨, 무기력증. 심근경색, 갑상선, 폐 (성질대로 하는 성격, 성질 때문에 오는 병)

5. **교황**: 뒷목 결림, 목 디스크, 어깨나 팔쪽의 통증, 편도나 목 안의 질병. 기관지염, 감기, 인후염 (가르치고 말하는 업, 소심한 성격, 신경 쓰다가 생기는 병)

6. **연인**: 신장, 허리, 다리 질환, 간. 갑상선, 인후염, 허리

7. **전차**: 멀미, 감기, 근육통, 전염병, 신경과민, 갑상선, 좌골 신경통(많이 움직이고 이런저런 계획에 신경을 많이 쓰면서 생기는 병

8. **힘**: 턱관절, 치과 쪽 질환, 근육통, 심장질환. 심장, 간, 혈압계통 (성질을 죽여야 함)

9. **은둔자**: 눈이나 귀쪽의 질환, 건망증, 치매. 노화로 인해 생기는 병. 우울증, 장염

10. **운명의 수레바퀴**: 순환기 장애, 성인병, 손발 저림, 수족냉증. 유행성 질병

11. **정의**: 백내장, 녹내장, 눈 쪽의 질병, 시력 악화, 각막 손상, 허리, 골반, 신장(자세가 나빠서 오는 병)

12. **매달린 사람**: 다리의 질병, 관절염, 중독성 질환, 약물중독, 알코올중독. 갑상선, 우울증(스트레스성)

13. **죽음**: 큰 병이나 사고, 전신 마취 수술, 큰 질병. 생식기, 자궁, 치질, 추가적인 병이 더 생긴다. (암, 근종)

14. **절제**: 허리나 방광질환, 순환기 장애, 등 쪽의 통증. 좌골 신경통

15. **악마**: 종양, 불면증, 신경 쇠약, 정서불안, 중독. 무릎, 관절, 피부염

16. **탑**: 악성 종양, 시한부 인생. 심장, 혈액순환계통 (쇼크)

17. **스타**: 순환기계통, 갑상선. 당뇨병

18. **달**: 우울증, 히스테리, 정신과 질환, 건망증, 편두통. 소화기계통, 위장장애(불안 때문에 오는 마음의 병)

19. **태양**: 피부 질환, 심장 질환, 호흡기 질환. 애정결핍

20. **심판**: 치과 쪽 질환, 호흡기, 디스크. 우울증, 답답함 (성질대로 안되서 생기는 병)

21. **세계**: 자궁 쪽의 질환, 순환기계통, 혈압. 위장, 신경과민

9. 은둔자 (The Hermit)

설산 위에서 지팡이 없이 눈을 감아도 다닐 수 있지만 남들에게 등불을 밝혀주기 위해 가지고 있다. 나 자신을 밝히지 않는다. 지팡이나 등불은 지혜를 상징한다. 남을 위해서 희생 봉사할 수 있다. 모르는 것이 없고 박학다식하다. 물어보기 전에는 먼저 나서서 얘기하지 않는다. 잘 표현하지 않고 먼저 나서서 얘기하는 사람은 광대나 마법사이다.

남들이 보기에는 고독해 보이지만 본인 스스로는 자기 세계에 빠져 고독하지 않다. 남에게는 내보이지 않고 변덕스럽지 않다. 생각이 깊고 신중하고 활동적이지 못하지만 유식하다. 부정적 측면으로는 외골수적 기질에 자신만의 세계에 빠져 있어 말이 안 통할 수 있어 따돌림당할 수 있다. (전차), 혼자서도 잘 지내며 내성적이다. 시대착오적 사고와 현재 유행에 못 따라가고 자기만의 길을 선택하며 융통성이 없다. 현실에서 도피하여 속세를 떠나는 일도 있다.

머리가 좋아 학업 운은 좋다. 각종 시험 준비, 자격증 시험, 대학원 시험 등 인데 공무원 등 국가고시는 좀 약하다. 재주는 공부 빼고는 별로 없다. 만약 있다면 남들이 하지 않는 것에 관심이 많다. 애정운은 정신적 사랑, 짝사랑, 외톨이, 내성적이고 소극적인 스토커이다.

점잖고 지루하지는 않지만, 박학다식하여 여자들이 좋아하지만, 표현을 잘 못 하여 연애는 잘하지 못한다. 따라서 애정 표현이 부족해 여자들은 떠난 다. 오는 여자 막지 않고 가는 여자 잡지 않는다. 독신남들이 많고 남편이 은둔자이면 부부관계가 원만하지 못하지만, 부인이 이해해주고 보조를 잘해 주면 잘 어울릴 수 있다.

금전운은 약하고 돈을 쫓아가면 망신살을 당하지만 그렇지 않으면 어느 정 도 먹을 복은 있다. 사업 운은 약하고 돈에 대한 욕심도 별로 없고 소비도 많지 않습니다. 자기 있는 것만 가지고 만족한다. 사업은 직접 하는 것은 약 하고 참모 역할이 좋다. 은둔자는 여사제를 만나야 서로 잘 어울릴 수 있다.

만약 사업 운에 은둔자 카드가 나오면 사업 운이 안 좋아 귀인의 조언을 받 으라는 뜻이며 참모의 영입 등 조치를 취하는 것이 필요하다. 조언으로는 한 발짝 물러나 원인을 분석하고 타인의 충고도 참작하고 시간을 갖고 충분히 생각해야 한다. 지금은 생각을 잠시 접어두고 휴식을 취할 때이다.

직업으로는 스님, 종교인, 수행자, 활인업, 대학교수(비인기분야), 한의사, 연 구직, 학자, 정신세계 추구, 재야지식인, 역학, 야간업 종사자 등이다. 교황이

제도권 내의 정신적 안내자라면 은둔자는 제도권 밖의 선생이나 스승을 나타낸다.

질병으로는 면역력이 약하고 자폐증, 귀, 안과, 식사가 불규칙하며 다리, 무릎관절, 퇴행성관절염. 치매, 우울증, 노인성 질환 등이다.

장소로는 실험실. 요양원. 학원. 지하실. 24시 편의점 등이다.

---

9. 은둔자 (The Hermit)

[긍정적 측면]

1. 비제도권의 스승, 영적으로 이끌어 줄 수 있는 사람
2. 홀로 즐기는, 나르시시즘(자아도취), 고독
3. 사려분별이 있는
4. 조용한 연애, 비밀유지, 베일 속에 감추어진 비밀의 사랑
5. 서로 생각할 시간을 가져야 한다.
6. 지속적인 은둔을 한다. 처박혀있는 사람
7. 지적인 성장과 성숙을 위해 노력한다.
8. 짝사랑
9. 참모 기능

9. 은둔자 (The Hermit)

[부정적 측면]

1. 비밀이 누설되는

2. 믿음을 저버리는

3. 지혜롭지 못하고 분별력이 없는 사이비 스승

4. 스승으로서 자격이 없는

5. 돌아다니기 싫어하고 게으른 사람

6. 뒤끝이 있는 사람

7. 헤어져도 미련이 있다.

8. 성숙하지 못한 처사

9. 집중력이 부족하고 실수가 잦다.

10. 미적 근하고 발전이 없는 상황이다.

11. 시대착오적 사고방식, 융통성이 없다.

12. 스토커, 집착, 냉정한 사랑

13. 애정적으로 상대를 피하는 상황이다.

14. 사업 진행이 둔화

15. 하는 일이 중지되거나 취소

☞ 보충 설명

움직이지 않고 정적이며 정신세계가 발달한 은둔자의 모습이다. 성향은 신중하고 활동적이지 못하고 내성적이고 소극적이다. 현재 상황은 조용히 시간을 갖고 생각하는 모습이다.

애정적으로는 정신적인 사랑. 짝사랑. 부정적으로는 내성적이며 소극적인 스토커이고 유식하고 외골수 기질이 강하고 한번 고집을 피우면 말이 안 통한다.

유행에 못 따라가고 자기만의 길을 가는 융통성이 없고 시대착오적인 사고방식을 가지고 있다. 여러 사람과 어울리지 못하고 혼자 있는 것을 좋아하고 혼자서도 잘 지낸다.

교육. 연구. 종교인. 수행자. 활인 업 등이 어울리며 물질을 추구하거나 육체적인 활동보다는 정신세계에 빠져 깊이 연구하는 학자계통이나 자기만의 세계를 추구하는 스타일이다.

조언 카드로서는 현재 움직이지 말고 시간을 충분히 가지고 기다려야 하는 모습이다.

10. 운명의 수레바퀴 (Wheel of Fortune)

스핑크스는 공정한 판결, 새로운 운명을 순환하고 구름은 보이지 않는 곳. 미지의 세계이며 운명의 수레바퀴는 소우주, 지구라고 생각하면 된다. 돌고 돈다. 좋아졌다가 나빠지고 다시 좋아질 수도 있다. 책으로 공부하고 있어서 노력해야 한다. 아직은 미완성이고 절반 정도 성공이다. 완성되면 세계카드 이다.

운명의 수레바퀴는 절반만 성공이라 어느 정도 노력해야 완성할 수가 있다. 현재는 좀 더 노력해야 하는 시기이다. 외국과 인연이 많고 외국에 나갈 일 이 생기고 여행, 유학을 의미한다. 순리대로 순응하고 반복되는 삶이며 다람 쥐 쳇바퀴처럼 반복된 패턴으로 이 카드가 나오면 주변 카드의 의미를 극대 화한다.

따라서 운명의 수레바퀴는 특수한 중간 카드로 3 카드 배열법에서 이 카드 자체보다는 나머지 2 카드가 반드시 실행된다. 긍정적으로 어떤 전환기로 다가온 행운으로 기회를 잡을 수 있다. 연애운은 과거 끊어지지 않는 인연을 나타내며 사귀어다가 헤어진 사랑을 다시 만나는 운명적인 만남(재결합)을 뜻한다.

부정적인 측면의 애정운은 집착하는 성향으로 스토커 기질이 나오고, 깨져도 얼굴을 계속 봐야 하는 커플이다. (직장·학교) 만약에 전차 + 은둔자 + 운명의 수레바퀴 조합은 스토커 중에서도 강압적이고 폭력적인 스토커이다.

직장에서는 승진보다는 부서 이동이 있고 재물은 바쁘게 일하면서 돈을 번다. 직업은 항공사, 여행사, 이공계(기계 관련), 안경학, 영화, 광고 영상, 운송, 영화. 수의사 가업을 잇는 일. 외국계 회사 등이다.

질병으로는 심장. 순환기(당뇨·고혈압). 혈관. 혈액, 만성질환, 반복되는 증세, 안과, 허리가 안 좋고 자궁도 문제가 있다.

장소로는 교차로. 놀이공원. 증권시장. 카지노. 비행기. 외국 등이다.

10. 운명의 수레바퀴 (Wheel of Fortune)

[긍정적 측면]

1. 기회를 잡은. 뜻밖의 행운
2. 전환점. 변화. 전환기
3. 운명에 순응한다. 운명으로 받아들이는 태도
4. 아이들 교육하려면 가르치고 놀아주어야 한다.
5. 운전하면서 바쁘게 활동한다.
6. 좋은 인연의 만남이다.
7. 시간 관리를 잘한다.
8. 혼자서 일을 다 하는 것보다는 분담시켜야 한다.

10. 운명의 수레바퀴 (Wheel of Fortune)

[부정적 측면]

1. 기회를 놓치고 나쁜 운이다.

2. 시기가 적절하지 않다.

3. 시간 관리를 잘해야 한다.

4. 지나간 사랑. 별 볼 일 없는 인연. 나쁜 인연

5. 복잡한 가정사

6. 애정의 변화가 심하다. 집착

7. 지나친 노동은 금물이다.

8. 혼자서는 다하기 힘들다.

9. 만나지 못하거나 일이 지연된다.

10. 생각이 많고 복잡한 사람이다.

11. 운전하기가 싫다.

☞ 보충 설명

이 운명의 수레바퀴는 그전 과거부터 현재까지 반복이 되거나 새로운 시작이나 결과를 내지 못하고 계속 진행상태인 경우가 많다. 과거 자신의 트라우마에 벗어나지 못하는 경우가 많아 항상 반복적이고 비슷한 유형의 애정 관계에 빠질 때 잘 나온다. 또한 배열법에서 어떤 좋은 카드나 나쁜 카드를 업그레이드를 시켜줄 때 해석할 수 있다.

예를 들어 전차+은둔자+운명의 수레바퀴 3장의 카드를 부정적으로 해석할 때 스토커 중에서 강압적이고 폭력적인 성향이 강한 것으로 설명할 수 있다. 운명의 수레바퀴 + 컵 에이스라면 운명적인 만남이나 헌팅. 재결합 등을 의미한다.

운명의 수레바퀴는 전후 상황에 따라 역할이 달라질 수 있으니 무조건 좋다 나쁘다 해석해서는 안 된다. 전반적으로 긍정적인 측면이 많으면 긍정적으로 해석하고 부정적 측면이 많으면 부정적으로 해석한다. 따라서 핵심 카드를 보조해주는 역할이 강하다고 생각할 수 있다.

이 카드가 아직은 미완성이고 절반만 성공이라고 해서 현재 결과를 안 좋다고 해석해 버리면 안 된다. 이런 경우에 여러 장의 카드 배열에 따라 통변이 안되어 1장의 원 카드 통변으로 볼 때는 아직 미완성으로 본래의 의미대로 해석하면 된다.

점술은 개인마다 주관적인 해석이 다 다르게 나올 수 있으므로 통계학도 아니고 정해진 정확한 해석도 없다. 타로 마스터가 스스로 카드에 대한 주관적 해석을 강하게 마음먹으면 자신에게 맞는 통변법이 나온다. 따라서 타로는 비법 강의가 있을 수 없고 자신에게 맞는 통변법을 스스로 연구하여 응용하는 자세가 중요하다.

책에 나와 있는 해당 키워드(타로 마스터 주관적 해석)가 전부 맞는다고 그대로 해석하는 그것보다는 질문상황에 맞추어 자신에게 맞는 키워드를 유추를 해내면 바로 자기만의 키워드가 되는 것이다.

물상 대체로 보면 날개는 외국. 해외. 책은 공부를 의미하니 유학. 어학연수를 나타내며 그림 속에 원의 모양을 보고 사람의 동공처럼 보이거나 아니면 설계도면. 수학. 기학 등으로 유추해석 할 수 있다.

허리를 누르고 있는 모습이 마치 디스크 환자처럼 보일 수 있으니 이런 물상대체 통변은 기본기가 숙달된 후 다양하게 변통할 수 있는 직관타로이기 때문에 전체적인 틀을 벗어난 직관 타로는 완전 엉뚱한 통변을 빠질 수 있으므로 어느 정도 수준이 있을 때 가능하다는 것을 인식해야 한다.

11. 정의 (Justice)

천칭 저울은 균형, 공정, 공평을 의미한다. 칼은 권력, 공정한 판결, 균형이 깨지면 칼로 치겠다는 것이다. 결연한 의지가 있는 사람이다. 기둥은 화해. 중재이고 초록색은 속을 알 수 없고 드러내지 않는 것이다. 교황은 황금열쇠로 힘든 문제를 해결해주고 정의는 심판하지만 나쁜 것을 교화시킨다는 의미가 있다.

희생을 뜻하지만, 정의는 옳고 그름을 분리하여 그른 것을 처단합니다. 정의는 내가 결정을 받아들이는 상황이 아니라 내가 내린다. 그러나 심판은 내가 결정을 받아들여야 한다.

너무 완벽하고 모범적인 사람이지만 융통성이 없고 피곤하며 고리타분하다. 학생 때는 부모 사랑받는 모범생이지만 사회생활은 답답하고 피곤하고 연애도 잘 못 하고 결혼하는 스타일이다.

정의는 공평하게 결정하며 법을 잘 지키며 완벽을 추구하는 사람이다. 따라서 요령을 피우지 않고 어떤 법이나 이런 테두리 안에서 불법을 저지르지 않으며 굉장히 고지식하다.

주관이 확실하며 맺고 끊음이 정확하고 원리원칙을 따진다. 융통성이 없어 사업 운은 약하고 매사에 곧이곧대로 하며 재미가 없으며 감정이 없어 보여 인간미가 약하다. 정형화된 틀에 갇혀 있어 소심할 수도 있다. 사업은 안해도 밥은 먹고 살 수 있는 사람이다.

정의감으로 시시비비를 가리고 솔직하고 평등. 균형. 이성적 판단력. 정직(정확성의 요구)하며 결국 옳은 일은 잘 된다. 노력한 만큼만 받는다. 시기적으로는 어떤 결정을 내려야 하는 시기이다. 권위, 권력, 계약, 법적인 일(소송), 재물은 수입과 지출이 균형을 이루고 혼자서 판단하고 일을 해야 한다.

부정적으로는 인간미가 부족, 이별, 퇴직, 이직, 불이익, 소송이나 관재가 많다. 눈이 높고 머리로 하는 연애로 조건을 따진다, 계산적이고 남과 비교하여 너무 따지지 말아야 한다. 한쪽으로 치우친 판단 하고 정직하지 못한다.

직업으로는 선생, 공무원, 법조인, 한의사, 세무, 회계, 금융, 임상병리사, 감정사, 공학, 정육점이 적격이다. 연애운은 하지 말라는 행동은 안 한다. 선이 넘는 행동을 안 한다. 결혼하기 전까지는 여자를 절대 손을 대지 않는다. 사랑받는 자식이 되어도 사랑받는 남편은 어렵다. 재미는 없지만, 분별력이 있고 연애에 있어서 육체적인 순결을 지킨다. 질병으로는 스트레스 질환. 신경과민. 안과 질환. 귀 질환이 있다.

장소로는 법원. 시험장, 연구소(행정관청) 등이다.

---

11. 정의 (Justice)

[긍정적 측면]

1. 주고받는 것이 확실하다.

2. 이성적 판단력. 공정. 균형

3. 정직하고 공평한 인물

4. 노력한 만큼 벌고 번 만큼 나가는

5. 중립적 입장을 지킨다.

6. 엄격하고 냉정하고 냉철하다.

7. 법 관련. 승소, 시험 운이 좋다.

8. 맺고 끊음을 정확하게 따진다. 원리원칙

9. 도덕적이고 윤리적 사랑

11. 정의 (Justice)

[부정적 측면]

1. 너무 정확하려고 하지 말아야 한다.

2. 너무 고지식해서는 안 된다.

3. 공정하지 못한, 정직하지 않는.

4. 도덕을 무시하고 선입관과 편견으로 판단하는

5. 잘못된 법조인

6. 치우친 사랑. 이해타산. 너무 재다가 인연을 놓친다.

7. 남과 비교하지 말고 너무 따지지 마라.

8. 패소. 소송. 관재. 노력한 만큼 결과가 없다.

9. 불이익. 이별. 이직. 퇴직

☞ 보충 설명

정의 카드는 법적인 소송이나 관재 사건에 많이 나오고 공평하게 결정해야 할 때 즉 옳고 그름을 분명히 따져야 할 때 많이 나온다. 또한 남과 비교하거나 어떤 상황에서 너무 따지고 완벽을 추구하는 성향이 강하다. 그러기 때문에 인간미가 부족하고 감성적이기보다는 이성적이고 계산적이기 때문에 융통성이 부족하다.

자기 틀이 분명하고 꼼꼼하여 확실한 것을 좋아한다. 연애도 가슴으로 하는 것이 아니라 머리로 연애하고 조건을 많이 따지고 들어가며 눈이 높다.

부정적으로 보면 이별. 퇴직. 이직. 불이익 등의 키워드를 유추할 수 있다. 정상적인 합의가 안 되어 법적으로 소송을 하여 해결해야 할 때 이 카드가 나오면 무조건 법으로 해결해야 한다.

공평. 균형. 완벽. 법. 정의. 심판. 소송. 회생. 이성적 판단. 원리원칙. 판사. 고지식. 변호사 등을 연상할 수 있다. 이런 식으로 성향을 보고 직업이나 건강을 유추해 볼 수 있는데 매사 예민하고 깐깐하여 스트레스로 인한 신경과민이 크다고 볼 수 있다.

12. 매달린 사람 (The Hanged Man)

형틀은 죽은 나무이지만 매달린 사람에 나무는 살아 있고 발을 묶어 놓았지만 느슨하게 보이며 다리를 4자 모양으로 휴식하고 있다. 머리에 후광은 좋은 기운이고 매달린 모습은 벌을 받는 것이 아니고 휴식이 필요한 모습이다. 남에게 좋은 기운(사랑, 자비)을 주는 사람이다.

현재 상황은 정지된 상태이다. 쉬고 있어서 현재 진행이 안 되며, 재충전하는 모습이다. 남에게 봉사를 많이 한다. 쉬는 시간이 끝나면 본인이 원하는 것을 성취한다. 전화위복이 된다.

연애운은 잠시 못 보는 시기이다. 군대에 있거나 멀리 떨어져 있는 커플이고 시간이 해결을 해줘야 하는 커플이다. 두 사람 관계가 안 좋은데도 어쩔 수 없이 책임감 때문에 사귄다, 한쪽이 희생하고 인내하는 헌신적 사랑이다.

사업 운은 준비가 되어 있는지를 확인하고 준비되면 사업 성공할 수 있다. 재물 운은 들어와야 할 돈이 오지 않고 있으며 배고픔을 참아야 할 시기입니다. 애정운의 경우나 사업 운의 경우 대개 이 카드가 나오면 그리 기분 좋은 것은 못 된다.

희생, 인내, 포용력, 기발, 역발상, 재치, 사기, 배신, 고통스러운 시기, 정지, 내가 고통스러워도 괜찮다고 하며 넘어간다. 잠시만 참으면 풀린다, 손해는 감수해야 하며 배고픔을 참아야 하는 시기이다.

직업으로는 머리싸움이 치열하거나, 머리 복잡하게 생각하거나, 잔머리 굴려야 하는 직업으로 디자이너, 마케팅, 영화감독 등에 해당되고, 희생과 봉사적 측면에서 사회복지사와 간호사인데 사회복지사 쪽이 많다고 한다. 자원봉사, 물리치료사, 요양보호사, 의료인. 심리학자. 정신과 의사 등이다. 힘든 일이고 희생하는 직업(사람을 많이 상대)이다.

질병으로는 하체, 다리, 하지정맥류, 관절, 정신과, 소화기계통, 약물중독으로 약에 의존, 머리(두통). 신장. 방광. 자궁 등이다. 장소로는 병원, 휴양지, 산 (기도원), 휴게실 등이다.

12. 매달린 사람 (The Hanged Man)

[긍정적 측면]

1. 새로운 시각으로 세상을 바라본다. 역발상

2. 지금 상황을 운명적 상황으로 받아 들여라.

3. 인내. 절제, 희생과 헌신. 시련의 시기

4. 남의 입장에서 생각을 해본다. 역지사지

5. 오로지 한사람만 본다. 일편단심

6. 힘들고 어려운 것들을 수행으로 받아들인다.

7. 어떤 특정 사건이나 상황을 다른 시각으로 판단한다.

8. 고생 뒤에 행복이 온다. 고생을 즐겨라.

12. 매달린 사람 (The Hanged Man)
[부정적 측면]

1. 노력하지만 소득이 없다.

2. 맹목적 사랑(짝사랑)

3. 헛고생하다. 수행 하는 척만 하다.

4. 형벌집행. 중환자. 감옥

5. 사기. 배신, 정지

6. 강요된 희생. 억지의 희생

7. 진퇴양난

8. 무언가 숨기고 있다.

9. 사이코패스

☞ 보충 설명

매달린 사람은 현재 상황은 희생하고 포용하고 인내하고 잠시 재충전하는 모습이고 연인관계라면 군대에 있는 사람. 유학. 지방 근무 등으로 멀리 떨어져 있는 커플을 의미하고 또 다른 의미로는 현재 상태로는 힘들고 시간이 흘러야 해결할 수 있는 커플을 뜻한다.

서로 간에 안 좋아도 책임감 때문에 사귀고 있다거나 내가 아니면 상대가 고통스럽고 힘들어도 참고 인내하며 손해를 감수하고 지금 이 시기를 잘 극복해야만 한다.

부정적인 의미로는 사기. 배신. 정지. 고통스러운 시기. 사이코패스. 실업자(백수). 현재 힘든 상황을 극복해야 하고 기다리면서 참아야 하는 시기를 의미한다. 그렇지만 그만큼 준비하고 충분한 역량을 쌓아 시간이 흐르면 좋아질 수 있다.

따라서 매달린 사람은 전후 주변 카드에 따라서 시간이 흐르면 좋아질 수도 있고 아니면 현재 상황이 안 좋아 정지되어 있는 상황일 수도 있다고 해석할 수 있다.

13. 죽음 (Death)

해골은 무서움, 죽음이고 검은 바탕에 백장미가 그려진 깃발은 재생의 힘, 갱생의 힘이다. 저승사자가 백마를 타고 가고 있다. 강을 건너 새로운 세계로 출발을 의미하며 새 희망으로 전화위복을 뜻한다. 두 개의 탑은 새로운 세계로 나아 감이고 말은 생명을 의미한다. 떠오르는 태양은 새로운 삶, 시작, 탄생, 출발을 의미하며 이 죽음 카드는 모든 것을 버리면 새로운 시작이 빠르다.

사업이나 연애는 현재 상황은 아무리 노력해도 안 되고 다 버리고 가면 새로운 출발을 하면 좋아진다. 미련을 버리고 과감히 새로운 출발을 해야 한다. 따라서 새로운 사람을 만나려면 옛 애인을 잊어야 하고 하던 일도 정리하고 새로운 일을 시작해야 한다.

과거의 인연을 끊고 새롭게 나아가는 시기를 의미하며 전화위복이며 끝(종말)이 아니다. 친구, 동료라는 관계가 깨지고 연인관계로 발전한다. 심판 카드는 과거의 사랑을 다시 가져와 회복하지만 이 죽음 카드는 완전 새로운 인연의 시작이다.

성향은 냉철하고 무정, 비관적, 극단적이고 폭력적이다. 끊고 맺음이 분명하며 한번 만나면 물불 안 가리고 무섭고 깨지면 뒤도 안돌아보는 냉정함이 있다. 직업으로는 의사, 장례업, 종교인, 교도관, 군인, 경찰, 퇴마사. 외과의사(마취). 국세청 직원, 건강 관련 직업 등에 종사한다.

질병으로는 사고나 수술, 불치병, 암 등 커다란 병이 있다. 장소로는 장례식장. 화장터. 차고. 강가. 쓰레기장 등이다.

죽음의 키워드는 졸업, 결혼, 부활, 불행한 사랑, 이별, 실연, 배신, 퇴직, 이직, 이혼, 질병, 죽음 등이 있다. 긍정적인 측면으로는 죽음에서 희망으로 가는 구사일생, 절처봉생이고 위기에서 기회로 가는 기사회생이다.

새로운 부활이나 개과천선, 환골탈태로 새로운 삶을 시작한다. 부정적인 측면으로는 애정이 막을 내리고 실연당한다. 종결, 중단, 실패를 나타낸다.

---

13. 죽음 (Death)

[긍정적 측면]

1. 과거 인연을 종결짓고 새로운 인연으로 나아간다.

2. 기분전환, 기사회생, 부활, 개과천선, 환골탈태, 절처봉생

3. 승부수를 던져야 한다.

4. 끊고 맺는 것을 확실히 한다.

---

13. 죽음 (Death)

[부정적 측면]

1. 종결, 중지, 중단, 휴업

2. 이별, 이혼, 실패, 배신

3. 다시는 안 본다. 인연이 끝남. 불행한 사랑

4. 세금 압류, 빚쟁이들. 무서운 사람

5. 망각, 사망. 혼수상태, 무력증

6. 개운치 못한 종결상황

☞ 보충 설명

죽음 카드가 건강 운을 볼 때는 상당히 안 좋다. 갑작스러운 사고나 수술. 불치병. 암 등을 의미한다. 하지만 이 죽음 카드가 나왔다고 해서 무조건 안 좋다고 단순하게 해석해서는 안 된다. 지금까지 힘든 상황을 벗어나고 새로운 시작을 해야 할때 이 카드가 잘 나온다. 결과적으로 현재 상황을 모두 종료시키고 과감히 새로운 출발을 해야 하는데 그러지 못하고 미련이 있을 때 답답하고 힘들 수 밖에 없다.

애정운을 볼 때도 옛 애인을 잊지 못하여 새로운 사람과 잘 안되거나 만나지 못하기 때문에 과감히 새로운 출발을 해야 하는 카드이다. 연인관계가 깨진지 얼마 안 되는 경우도 될 수도 있고 오랜 연인관계라면 결혼을 하던가 아니면 이별해야 하는 시점이 될 수도 있다.

현재 연인관계가 좋다고 하면 사귄 지 얼마 안 된 커플이거나 연인관계가 아니고 오랫동안 친구나 동료관계라면 이제는 연인관계로 가야 하는 시점이 온 것이다. 따라서 이 죽음 카드는 새로운 시작을 하는 전화위복을 뜻한다. 학생이라면 졸업을 의미할 수도 있고 현재 상황을 벗어나고 새로운 상황으로 전환이 되는 상태로 가야 하는 출발을 의미한다. 이 죽음 카드의 성향으로 본다면 냉철하고 무정하며 비관적. 극단적이며 욱하는 기질이 보인다.

따라서 죽음 + 탑 카드의 조합으로 본다면 폭력적인 기질이 강한 사람이라고 볼 수 있다. 메이저 카드를 보고 직업을 유추할 때는 이러한 성향과 밀접하기 때문에 건강 관련 직업. 의사. 종교인. 교도관. 군인. 경찰. 장례업. 조폭 등을 연상시킬 수 있다. 조폭이 현재 생활을 접고 새 희망의 미래를 시작할 때도 이런 죽음 카드로 해석하는 것이 적절하다. 따라서 이 카드를 무조건 부정적으로만 해석하거나 단순하게 무조건 끝났다는 식의 표현을 해버리면 큰 실수를 하게 된다.

14. 절제 (Temperance)

절제는 조화, 균형, 절제, 중용, 자상을 의미한다. 이것을 지키지 않으면 신의 벌이 있다. 지키면 원하는 것을 얻을 수 있다. 후광은 영향력 있는 인물을 뜻하고 남에게 좋은 기운을 줄 수 있는 귀인이다. 천사 날개는 신의 계시를 나타내고 해외 운으로 외국과 인연 있다. 두 발은 조화, 균형을 의미하고 물은 영감, 직관을 의미한다. 길을 가면 왕관 같은 태양이 있다. 노력하면 밝은 미래가 있다.

시비를 잘 어우리는 자상함으로 대인관계가 좋고 리더십도 있다. 남에게 베풀기를 좋아하고 자상하고 도움을 줄려는 따뜻한 기운을 줄려고 하는 사람이다. 힘든 일이 있을 때 도와주는 귀인이 생긴다. 참을성이 많고 웬만하면 잘 맞추어 준다. 검소, 절약, 인내, 중용, 희망, 균형을 의미하며 한쪽으로 치우치지 않고 적당한 선을 가지고 있는 사람이다.

연애운으로는 둘 사이가 현재 연애가 가능한 상황이거나 긴가민가 왔다 갔다 하는 어떤 사이이다. 꾸준한 사랑을 하고 포용. 소통하면서 서로 존중해주는 사랑을 추구한다. 또한 헤어진 연인을 다시 만나서 사귈 수 있는 재결합이 있다. 부정적인 측면으로는 연인 사이가 권태기에 있으며, 우유부단하고 절제가 강해서 완성하기 힘들다.

외국에 나가서 연인을 만나기도 하고 외국인 배우자가 많아 국제결혼을 한다. 학생이거나 직장인 경우도 이민, 단기 유학이 아니라 장기 유학도 가고 해외관련 일에 종사한다. 사업은 지금 사업을 하고 있다면 현상 유지만 하여야 하고 확장해서는 안된다. 재물은 수입과 지출이 균형을 이루고 남과 협력하는 재물이다.

직업은 해외 세일즈업, 바리스타, 여행사, 승무원, 텔레마케터, 해운업, 유통업, 감별사, 맛전문가(섬세). 심리치료사(음악.미술치료). 약사. 동업관계. 커플매니저. 펀드 매니저. 자산관리사. 보험업. 무역업. 통신업. 해운업, 승무원. 중개업, 매니저 등이다.

질병은 두통, 저혈압, 심장질환, 신장, 방광, 자궁, 냉증, 혈액순환을 조심해야한다. 장소로는 공항, 선박, 바다. 온천, 통신회사 등이다.

14. 절제 (Temperance)

[긍정적 측면]

1. 동업이나 협력하면 좋다.

2. 유연하고 융통성이 있다.

3. 소통, 교류가 원활히 이루어진다.

4. 절제, 인내, 중용, 균형

5. 깊은 사랑을 한다.

6. 감정조절을 잘한다.

14. 절제 (Temperance)

[부정적 측면]

1. 교류, 소통, 협력, 대화가 되지 않는다.

2. 동업하면 물질적 손실이 있다.

3. 우유부단하여 너무 재다가 실패한다.

4, 양다리를 걸치거나 변덕이 심하다.

5. 중용이 지켜지지 않고 균형이 깨진다.

6. 애정 조절이 서투르다.

7. 친구도 연인도 아닌 관계

8. 음주 절제가 안된다.

9. 유산, 낙태, 자궁병, 냉병

☞ 보충 설명

절제 카드는 말 그대로 나서는 것이 아니라 인내심을 갖고 절제하고 어느 편에 서는 것이 아니라 균형을 맞추면서 소극적인 자세를 취하는 모습이다.

한쪽 발은 물속에 있지만 한쪽 발은 밖에 있어 적당한 선을 가지고 있는 사람이다. 부정적으로는 절제가 강하면 우유부단하고 답답하며 권태기. 완성하기 힘들고 맺고 끊는 것이 약하다고 볼 수 있다.

긍정적인 측면으로는 검소. 절약. 인내. 희망. 균형 등을 의미한다. 카드 속에 나오는 날개는 해외를 나타내는 외국과 인연이 많다. 따라서 유학. 이민. 국제연애(결혼). 해외 관련업 종사 등에 관련이 많다.

애정운에서 이 절제 카드는 과거 헤어졌던 연인을 다시 만나 재결합을 할때도 이 카드가 잘 나온다. 결합을 했다고 해서 앞으로 애정운이 무조건 좋다고 해서는 안되고 주변 카드와 조합을 해서 판단을 해야 한다.

15. 악마 (The Devil)

남자의 꼬리, 여자의 포도송이는 욕망을 뜻하며 중독(마약, 도박, 알코올, 섹스), 불륜, 집착에 빠져 자기 욕심을 버리지 않는다. 남들은 병이 들었다고 생각하는데 본인은 병인 줄 모른다. 인간들이 나쁜 일을 저질러 악마에게 뒤집어 씌운다. 악마의 성향으로 밤에 활동하는 경우가 많다.

스케일이 크고 쩨쩨하지 않으며 환영받지 못한다. 양의 탈을 쓴 늑대 같은 짓을 잘한다. 법보다는 주먹이 가까운 사람이다. 정당한 일보다는 편법을 좋아한다. 사람을 피곤하게 하며 자기에게 필요하면 잘해주지만 조금이라도 손해 보면 인간관계나 사회생활을 끊어 버린다.

스토커, 브로커, 불륜, 변태, 발명, 연구, 게임중독, 불법적인 일을 좋아한다. 다중인격자이고 수단과 방법을 안 가린다. 악마들끼리는 의리가 아주 좋지만, 자기에게 불리하면 뒤통수를 친다. 욕심이 많고 비정상적이며 육체적인 본능에 강하다. 문제점은 자기 자신만 모른다.

악마는 폭력적이고 욕심이 많으며 계산적이고 성질을 잘 낸다. 성욕이 강하고 얼굴보다는 몸매가 섹시하다. 성도착증. 변태. 신체에 대한 은밀한 콤플렉스. 근친상간, 집착. 중독. 속박. 강박. 폭력. 억압. 가정폭력. 자살 욕구, 고장난 자동차, 성 상납, 뇌물, 노예계약 등 부정적인 측면이 강하다. 긍정적인 면으로는 어떤 어려움이나 나쁜 습관에서 벗어나는 경우이다.

애정적으로는 어쩔 수 없이 사귀고 있고 깨지고 싶으나 깨지지 못하는 관계로 애증의 관계이다. 헤어졌다면 잊지 못하여 집착하고 스스로 고통에서 벗어나지 못한다. 좀 더 안 좋은 애정 관계라면 나이 차이가 상당히 차이가 나는 연상 연하의 관계이며 거부할 수 없는 유혹으로 불륜. 삼각관계. 비정상적인 사랑이다.

금전운은 유흥에 흥청망청 지출이 있고 유흥업으로 돈을 벌거나 불법적이고 떳떳하지 못한 직업에서 돈을 번다. 직업은 교도관, 유흥업, 떳떳하지 못한 직업, 군인, 경찰, 카지노 딜러, 사채업 등이다. 질병으로는 고혈압, 당뇨, 암, 고질병, 신경정신과, 중독, 생식기, 중병이다. 장소로는 카지노, 나이트클럽. 정신병원, 유흥가. 술집. 퇴폐업소 등이다.

15. 악마 (The Devil)
[긍정적 측면]

1. 악마의 유혹을 뿌리친다.

2. 나쁜 인연에서 벗어난다.

3. 구속. 집착. 중독에서 벗어난다.

4. 지나친 성관계에서 벗어난다.

5. 병에서 회복된다.

6. 애증 관계에서 벗어난다.

7. 채무 관계에서 벗어난다.

8. 연구. 발명

15. 악마 (The Devil)
[부정적 측면]

1. 구속, 집착, 중독에서 벗어나지 못한다.

2. 불륜, 삼각관계, 섹스중독, 잘못된 사랑

3. 불안, 우울, 질병, 망상, 쓸데없는 걱정. 강박증

4. 유흥업이나 불법 업체를 하면 잘된다.

5. 빚더미와 병마에 시달린다.

6. 성 상납. 뇌물. 노예계약

7. 악마의 유혹. 욕망의 포로

8. 권력남용, 폭력, 불법적인

9. 소심해서 결정을 내리지 못한다.

10. 답답한 상황. 나쁜 습관

11. 성도착증, 근친상간, 변태

☞ 보충 설명

악마 카드의 대표적 키워드는 중독. 집착. 불륜 등을 의미한다. 스토커, 브로커, 불륜, 변태, 발명, 연구, 게임중독, 불법적인 일을 좋아한다.

다중인격자이고 수단과 방법을 안 가린다. 정신적인 사랑보다는 육체적인 사랑 섹스중독에 빠지거나 퇴폐업소나 변태 등 육체적인 쾌락에 빠져 벗어날 수 없을 때 이 악마 카드가 잘 나온다.

악마는 떳떳하지 못한 직업 즉. 사채업, 밤에 퇴폐업종, 유흥업 등에 종사하는 사람이 많다. 무언가에 빠져 집착. 중독된 모습이 정상적이지 못하고 몸과 마음을 조절하지 못하고 자기감정에 묶여 있는 모습이다.

긍정적인 측면으로는 전문적으로 연구하고 발명하는 의미도 있지만 부정적인 측면이 더 많다. 요즘 게임중독이나 스마트폰 중독도 이 악마 카드로 표현하는 것이 적절하다.

16. 탑 (The Tower)

천둥·번개가 친다. 내 의지와 상관없이 힘든 상황이다. 생각지도 않는 현재 시련으로 인하여 사고를 당한다. 내가 원하지 않는 것을 타인이나 외부적인 요인에 의해서 내가 피해를 본다. 복구하는데, 시간과 노력이 오래 걸리고 미리 준비해 두지 않으면 졸지에 망할 수도 있다.

부정적으로는 폭력적, 욱하는 기질, 인내심 부족, 고통, 이별, 혼란, 사기, 구속에서 벗어나고 싶은 상태(가출, 독립)이다. 기존 질서(상태)의 붕괴(투자손실, 이혼, 파혼, 이별)이고 급격한 변화, 충돌(돌발 사고, 화재, 배신, 부도, 낙방, 추락)이 일어난다. 이 탑 카드가 나오면 끝까지 가야만 새 출발을 하게 된다.

애정운은 어쩔 수 없이 다른 사람으로 인해서 내가 원하는 대로 안 된다.

집안의 반대나 군대, 유학 등 다른 요인으로 인해서 이별할 수 있다. 여성의 정조가 깨지고 갑작스러운 이별, 안심하고 있을 때 뒤통수 맞는다.

아무 감정 없는 사랑 관계, 연인관계이고 실연당한다. 보통 이 탑 카드가 나오면 과거 애정으로 인하여 트라우마가 강한 경우 자주 나타난다. 그렇지만 파격적인 변신이나 변화를 두면 새롭게 다시 태어날 수 있는 희망적인 면이 있다. 금전운은 사기를 당하거나 갑작스러운 손해를 보거나 좋다가 깨져 파산이 올 수 있다.

직업으로는 인테리어업자, 재건축, 철거업체, 총기업자, 정비, 카센터, 소방공무원, 전기, 전자기술자, 한전 직원, 부동산업, 운동선수, 성형외과. 비뇨기과 의사 등이다. 이러한 직업을 가지만 피해를 조금 막을 수 있다.

질병으로는 암, 불치병, 급성질환, 수술, 교통사고를 조심해야 한다. 장소로는 수술실. 병원, 스카이라운지. 실험실. 콘도. 유골 발굴 현장 등이다.

16. 탑 (The Tower)
[긍정적 측면]

1. 전화위복

2. 변화를 받아들여 현실적으로 행동해야 한다.

3. 구속에서 벗어나 해방된다.

4. 영적 깨달음이 찾아오는

5. 엄청난 희생을 치르고 몸과 마음의 자유를 회복한다.

6. 과거를 버리고 새 출발을 하게 된다.

7. 충격을 주어 발상의 전환을 한다. 생각의 비상

16. 탑 (The Tower)
[부정적 측면]

1. 부도, 파산, 파업, 해고. 도산, 붕괴

2. 갑작스러운 이별. 이혼, 급격한 변화

3. 분노 폭발, 애정 싸움

4. 신의 권능에 도전하여 신벌을 받는다.

5. 구속, 감금, 관재 심한 직업, 소송

6. 불법업체 가능성

7. 죽을 것 같은 질병

8. 음주운전. 사고

9. 인간의 고통을 자아내는 모든 것들이 서서히 다가온다.

10. 기존 질서의 붕괴

11. 서로 싸워서 후유증이 있다.

☞ 보충 설명

탑 카드는 애정운에서 너무 힘들 때 잘 나오는 카드이다. 한마디로 멘탈 붕괴를 뜻하는 정신적으로 혼란한 상태이고 끝까지 가야만 새 출발을 하게 된다. 만난 지 얼마 되지 않는 사이라면 여성의 정조가 깨지거나 갑작스러운 이별, 안심하고 있을 때 뒤통수 맞는다.

파격적인 변신만이 현재의 고통을 벗어날 수 있고 새 출발을 할 수 있다. 그러나 이 카드가 나오면 현재 힘든 상황이고 너무 답답하여 정리하지 못한 상태인데 모든 것을 정리하고 완전히 새로운 시작을 해야 한다고 조언을 해 주어야 한다.

사업적으로나 투자. 매입 건으로 이 카드가 나오면 투자손실. 사기 등을 당하여 갑자기 경제적으로나 가정적으로 몰락을 할 수도 있으니 함부로 시작해서는 안 된다.

따라서 오랫동안 묶여 있고 힘든 상황이라면 모든 것을 버리고 새롭게 시작하는 것이 좋고 이제 새롭게 시작해야 하는 상황이라면 절대적으로 시작하지 않는 것이 좋습니다. 그렇지만 이 탑 카드가 나오면 판단력이 떨어져 고통의 나락으로 떨어질 가능성이 크다.

17. 스타 (The Star)

벗고 있는 모습은(악마, 연인은 유혹을 의미) 순수, 이상향, 고귀함이고 새는 평화로움, 이상을 뜻한다. 달, 별, 물은 영감, 신비, 정신적 영혼이 순수함을 의미한다. 성격이 긍정적이고 밝다. 원만하고 잘 어울릴 수 있다. 영감과 직관력이 있고 맑은 기운이 있다. 연예인 기질이 있어 노래, 연기재능이 있다. 가식이 없다.

연인 카드도 연예인 기질이 있지만 이기적이고 잘난 척을 한다. 이 스타 카드가 나오면 행운의 별이 당신을 비추고 있으니 실행에 옮겨 보아야 합니다. 한번은 실패를 겪어야 성공할 수 있다. 남들이 우러러볼 수 있다. 말 그대로 스타이다.

긍정적으로는 인기가 많고 솔직하고 꾸밈이 없으며 부드러운 화법을 구사하고 애정 표현 잘한다, 오랜 연인과는 결혼하며 임신, 희망, 재생, 회복, 치유력, 지혜, 아이디어, 매혹스러운 의미를 말한다. 사귀어다가 헤어지면 다시 결합할 수 있다. 성형수술 후 더 나아진 외모에 대한 자신감이 생기게 된다.

부정적으로는 잘못된 생각으로 어리석으며 충동적이다. 만난 지 한두 번 만에 사귀거나 불륜, 양다리로 바람을 피운다, 음주와 가무로 방탕한 생활을 하며 무절제한 이성 관계로 원치 않는 임신을 하여 낙태하는 예도 있다.

이것은 스타 카드가 여인이 두 개의 물항아리로 두 줄기의 물을 만들어 버리기 때문에 오로지 한군데만 붓는 형상이 아니기 때문이다. 따라서 연인 사이에 이 카드가 부정적으로 나오면 여자가 좀 과하게 헤프다는 결론이 나오거나 양다리 걸치는 수가 있다.

사업 관련에서는 이 스타 카드가 나오면 투자는 분산투자 하라는 뜻이다. 두 줄기로 붓는 물줄기 때문이다. 또한 투자를 검토하여 빨리 회수하거나 시정하여야 한다는 뜻이다. 물론 과거지사로 나왔다면 잘못된 투자로 인한 손실을 말한다.

이 카드는 희망 좋은 결실을 말하므로 사업. 연인은 물론 수험생, 취업준비생 등에게도 상당히 좋은 카드이다. 카드 속에 있는 작은 새는 남친으로 비유된다. 목소리가 상대적으로 너무 작아서 남친치고는 덩치도 작고 약간 소심해서 빌빌대는 형상으로 의인화한다. 이 카드가 나오면 주변 카드에 따라서 "이 여자는 남친이 댓쉬 하는 힘이 모자라서 불만이구나" 하면 된다.

직업은 예술가, 연예인, 패션 디자인, 메이크업, 기획, 방송, 유흥업 종사자,

외국 관련 일이 좋다.

질병은 부인과 질환, 생리불순, 생리통, 수족냉증, 관절 등이 있다.

장소로는 온천, 미술관, 사우나, 갤러리, 룸살롱. 퇴폐업소 등이다.

---

17. 스타 (The Star)

[부정적 측면]

1. 별 볼일이 없고 기대 밖이다.

2. 치유와 회복하는데 시간이 걸린다.

3. 겉모습. 외면을 중시하는

4. 양다리를 걸친다.

5. 순결, 순수하지 못한 여성상. 겉모습만 순결해 보인다.

6. 의심, 불안

7. 남에게 피해를 주는 행동을 한다.

8. 거짓, 위선, 거만

9. 일을 벌려서는 안된다.

---

17. 스타 (The Star)

[긍정적 측면]

1. 내면을 중시한다.

2. 미래가 보장되는. 희망과 기대

3. 순결하고 순수한 여성

4. 치유와 회복

> *5. 분산투자. 투잡*
>
> *6. 영감과 창의력이 필요한 직업*
>
> *7. 이상형을 만난다.*
>
> *8. 자선사업가. 일을 열심히 하는 여성*

☞ 보충 설명

달. 별. 물은 영감, 직관을 의미하는데 메이저 카드 중에 여사제, 은둔자, 절제, 달, 스타 카드가 있습니다. 스타 카드는 희망. 재생. 회복. 치유력. 지혜. 아이디어. 매혹적. 솔직함. 꾸밈이 없는. 부드러운 화법 구사. 애정 표현 잘함 등의 긍정적인 키워드를 가지고 있다.

부정적으로는 잘못된 생각. 어리석음. 바람피운다. 충동적. 만난 지 한두 번만에 사귄다. 불륜. 양다리 등의 의미가 있다. 애정운에 있어서 한번 사귀었다가 헤어지면 재결합할 수 있다. 연예인 지망생부터 고급 유흥업 종사자. 예술가. 방송인 등의 직업에서 많이 나온다.

양다리를 걸치는데 건전한 양다리나 불건전한 양다리가 될 수 있으며 투잡. 분산투자 등으로 표현할 수 있다. 임신. 출산. 낙태. 유산. 산부인과. 생리불순. 생리통 등의 질병을 앓고 있다.

18. 달 (The Moon)

얼굴이 반만 나와 있다는 것은 숨겨진 적이 있고 알 수가 없는 음모가 있다. 눈을 감고 있는 것은 자기 속을 드러내지 않는다. 가제는 물속에 있어야 하는데 육지로 나오면 힘든 상황을 예고하고 길이 가다가 끊어져 있는 것은 고난을 뜻한다.

달, 물은 영감, 직관이 있으며 영혼이 음흉하고 속은 내비치지 않아 배신당할 수도 있고 배신을 할 수도 있다. 달밤에 개, 늑대가 가고 있어 시끄럽고 가는 길이 험난하고 힘들다. 주변에 배신자가 있어 뒤통수 맞을 수 있다. 영감이 탁하고 집안에 공줄이 있어 조상의 기운이 크다. 악마는 본인 욕심으로 배신하고 달은 배신 당하는 경우가 많다.

엉큼하고 자기를 드러내지 않고 야비하며 인정하지 못하는 일을 한다. 좋은 기운을 가지고 있는데도 잘 활용하지 못한다. 달이 지고 먼동이 트니 길이 보인다. 따라서 시련이 끝나고 곧 좋아진다는 뜻을 의미한다.

꿈이 잘 맞고(예지몽) 숨어서 연애한다. 애정운으로는 떳떳하지 못하다. 양의 탈을 쓴 늑대이고 불륜관계, 삼각관계나 양다리로 배신 할 수 있으며 속임수로 사기당할 수 있다. 달은 우유부단하고 여성적 성격이며 애매모호하여 불확실성 하니 겉과 속이 달라 속을 알 수가 없다. 연애 할 때와 결혼한 후에 모습은 전혀 다르다.

달은 소문이 안 좋아 구설에 휘말리며 나를 방해하고 시기 질투하는 사람이 있어 하는 일이 힘들고 근심과 걱정으로 불안하다. 항상 사기꾼을 조심해야 한다. 그래서 신경과민과 우울증이 생겨 더 꼬인 상황이니 사업이나 재물 운은 지금은 중요한 결정을 하기에는 시기가 좋지 않으니 당분간 기다려야 한다.
직업으로는 명함을 내밀 수 없는 밤에 활동하는 호객행위, 유흥업, 떳떳하지 못한 직업, 무속인, 역학, 종교, 정신과 의사. 무속인. 역학자. 심리학자. 카운슬러, 작가 등이 있다. 또한 사이비 종교에 빠져 맹신하는 예도 있다.

질병으로는 우울증이 심한 상태(여사제:우울증 초기)이며 부인과 질환, 생리불순, 생리통. 히스테리 등인데 장기간 치료가 요망된다. 장소로는 영화관. 항구. 저수지. 사우나. 식당 등이다.

18. 달 (The Moon)

[긍정적 측면]

1. 근심, 비관에서 벗어난다.

2. 노력하면 승산이 있다.

3. 위기를 모면하고 조금씩 상황이 좋아진다.

4. 희생과 대가를 치르고 평화를 얻는다.

5. 속임수가 드러나 거짓 사랑이 밝혀진다.

6. 삼각관계에서 탈출한다.

7. 달이 지고 먼동이 뜨니 길이 보인다.

18. 달 (The Moon)

[부정적 측면]

1. 비관, 신경과민, 우울, 다중인격자
2. 숨겨진 적이 있다.
3. 불안, 근심, 걱정. 초조
4. 속임수. 배신
5. 불합격
6. 삼각관계, 구설수
7. 속내를 드러내지 않는다.
8. 경쟁률이 치열하다.

☞ 보충 설명

달 카드는 대표적 키워드로 근심. 걱정. 불안을 의미한다. 밝고 긍정적인 이미지보다는 어둡고 부정적인 이미지가 강하다. 우유부단하고 여성적인 성향을 지니고 있으며 애매모호하거나 불확실할 때, 겉과 속이 다를 때, 구설 시비, 삼각관계. 배신. 사기. 불합격. 불륜 등을 나타낸다.

배신을 하거나 당할 수도 있지만 악마 카드는 본인 욕심으로 배신하는 경우가 많고 달 카드는 배신당하는 경우가 많다. 무속인. 종교. 철학은 고위 여사제. 은둔자. 달 카드로 표현할 수 있으며 영감이나 직관은 고위 여사제. 은둔자. 절제. 달. 스타 카드에서 많이 표현할 수 있다. 즉 물질적인 것보다는 정신적인 세계와 관련이 깊다.

메이저 카드 직업

0. 바보	프리랜서, 돌아다니는 직업
1. 마법사	사업가, 과학자, 기술자. 의사
2. 고위 여사제	학자, 연구가, 종교인
3. 여왕	투기, 복부인, 돈 많은 아내
4. 황제	정치인, 정치와 관련된 일, 리더
5. 교황	종교인, 가르치는 일(교수). 성직자
6. 연인	중개인, 중매인

7. 전차	운송, 유통
8. 힘	운동, 매니저
9. 은둔자	연구가, 학자
10. 운명의 수레바퀴	가업을 이어받는 자
11. 정의	법, 관련된 쪽
12. 매달린 사람	힘든 일, 희생 직업(사람 많이 상대). 의사
13. 죽음	직업이 계속 바뀐다. 장의사
14. 절제	매니저, 희생이 필요한 직업, 조용조용(평범)한 직업
15. 악마	교도관, 술과 관련된 직업, 노래방, 떳떳하지 못한 직업
16. 탑	직업이 없다.
17. 스타	음료수, 차, 커피샵(레스토랑)
18. 달	일반회사원. 일반공무원
19. 태양	저명인사, 연예계 관련, 높은 지위. 의사
20. 심판	첨탄벤처, 남들이 해보지 않는 직업
21. 세계	일반회사원, 일반공무원

19. 태양 (The Sun)

백마는 순수함을 의미하고 어린아이는 순수, 천진난만, 동심을 뜻하고 해바라기는 풍요로움을 나타낸다. 긍정적, 낙천적, 진취적, 밝고 순수, 동심으로 가장 좋은 카드이다. 힘든 것을 이겨나가는 긍정의 힘이 있다.

광대는 어리석은 순수함을 의미하지만, 태양은 알면서도 수용하는 순수한 긍정적인 생각을 하는 순수함을 의미한다. 무조건 만사 OK이다. 주변 사람들에게 행복 바이러스를 주는 사람이다. 아무리 힘들어도 긍정의 힘으로 노력해 나간다. 솔직하게 드러내는 성격이며 애교가 많다, 낙천적이고 거짓말을 못 한다. 어린아이처럼 귀엽고 유치하지만 쉽게 화를 내기도 하지만 잘 풀린다. 천진난만한 순수한 열정을 가지고 있다.

연애운은 친구에서 연인으로 발전하고 서로 장단점을 잘 안다. 첫눈에 반한 연애 스타일은 아니다. 유치한 콩닥콩닥하는 연애이고 친구 같은 애정을 품고 있다. 태양 카드의 부정적인 면으로 "어린아이"가 주인공이므로 철이 없다고 한다.

또한 결혼 운을 볼 때 이 카드가 나오면 임신이나 출산을 나타낸다. 결혼 전 미혼 커플의 카드에 태양이 뜨면 속도위반을 점칠 수 있다. 물론 결혼할 수 있는 좋은 카드인 것은 확실하다.

이 태양 카드는 만사형통의 대박의 의미가 있어 수험자는 합격하고, 횡재하는 때도 있으며, 사업가의 경우라면 사업이 잘 풀려서 상당한 축재가 가능하게 하기도 한다.

명랑하고 솔직담백하며 어린아이처럼 순수, 또는 순진무구하여 하늘의 행운이 저절로 따르는 것으로 여기기도 한다. 그러나 부정적인 경우는 "태양을 구름이 가리고 있다" 이다. 따라서 과거 카드에 이렇게 나오면, 행운의 기회가 희석되거나 상실된 것으로 해석한다.

직업은 아동 관련, 유아 관련, 유치원 교사(여왕), 보육 관련업종. 아동심리학. 소아과의사. 완구점. 유아용품 등이다.

질병은 화상, 일사병, 낙상, 안구질환, 피부 질환 등을 조심해야 한다. 장소로는 유치원. 휴양지. 온천. 사우나. 갤러리. 식물원. 동물원 등이다.

19. 태양 (The Sun)

[긍정적 측면]

1. 생명력이 넘친다.

2. 성취, 성공, 물질적인 행복

3. 낙관적인, 태양이 뜨는, 만사형통

4. 윗사람의 보호나 도움을 받는다.

5. 명확한 대답. 명확한 인식

6. 승승장구한다.

7. 유머가 넘친다.

19. 태양 (The Sun)

[부정적 측면]

1. 운이 저문다. 태양이 진다.

2. 생산력 저하

3. 생활이 불안하다. 실직 가능

4. 결혼까지 가지 않는 사랑. 이혼 가능성이 있는

5. 사랑이 식어가는

6. 마마보이, 공주병 기질이 강해짐,

7. 철이 없다, 잘난 체, 제멋대로

8. 활동력이 저하된다.

9. 전성기는 갔다.

10. 신뢰가 흔들린다.

11. 남에게 의지를 많이 한다.

☞ 보충 설명

이 태양 카드는 어린아이의 성향처럼 솔직하고 드러내는 성격이다. 순수하고 긍정적이며 낙천적인 성격을 지니고 있다. 애교도 많고 거짓말을 못 하며 귀엽다. 하지만 부정적인 의미로 본다면 어린아이처럼 아직 성숙하지 못하여 철이 없고 엉뚱할 수 있으며 쉽게 화를 내기도 하며 쉽게 풀리기도 한다.

연애운은 친구에서 연인으로 발전하고 서로 장단점을 잘 안다. 첫눈에 반한 연애 스타일은 아니다. 친구 같은 사랑이고 서로 잘 아는 친구 같은 존재이기 때문에 편안한 사랑이지 설렘이 적어 서로 간에 연애 감정에 혼란이 올 수도 있다.

반면에 친구가 아닌 처음 만난 연인이라면 유치하고 콩닥거리는 연애로 표현할 수 있다. 엉뚱한 백치미를 나타내기도 한다. 태양 카드와 컵 Ace 카드의 조합이라면 유치하지만 재미있는 연애로 시작할 수 있다.

20. 심판(Judgement)

나팔은 하나님의 음성을 전하는 신의 계시, 소식이다. 관속의 사람은 부름을 받고 새로운 시작, 부활을 의미한다. 부활은 잘살고 행복하다는 것이 아니다. 시작의 의미이다. 지금까지 정지(정체)되었던 것이 새롭게 시작이다. 했던 것을 중단했다가 재개되는 것을 의미한다. 연인 사이가 재결합이 다시 사귀는 것은 아니다. 잘된 것이 아니고 지금은 시작하는 시기이고 잘되는 것은 본인이 노력해야 한다.

천사의 나팔과 십자가는 도움을 주는 사람을 만날 수 있고 천사의 날개는 외국에 나가려는 기운이 강하다. 심판 카드는 소식, 부활, 재기, 재도전, 재회, 재결합의 의미를 지니고 있다. 성실하고 상대방에게 잘 맞춰주고 분위기 파악에 능하고 눈치가 빠르다. 소심하고 참모 스타일이라 피동적이고 수동적이라 내가 받아들여야 한다.

연애운에 이 카드가 나오면 여자는 프러포즈를 받게 되거나 짝사랑하는 사람에게 자신의 마음을 털어놓으면 연인으로 발전하기도 한다. 아니면 다시 만난 사랑이거나 기다림 끝에 만난 사랑이다.

재물 운은 상당히 좋고 모든 좋은 소식이므로 취업, 합격, 임신 등의 좋은 소식도 해당한다. 이 카드가 부정적으로 나오면 별로 좋지 못한 소식을 접하게 되고 재물은 본인이 하는 것만큼 받습니다.

지금까지 해왔던 것이 없다면 안 좋은 결과이니 시간을 두고 노력을 하면 모든 면이 조금씩 차차 좋아지니 지금까지 외면했던 것들을 다시 돌아보면 해결의 실마리를 찾을 수 있다. 따라서 심판은 지금 하는 일이 잘 되는 것이 아니고 지금 시작할 단계이다.

직업은 법관, 변호사. 검사. 금융컨설턴트, PD, 외국 관련일, 물과 관련된 일, 방송 관련, 소리와 관련된 직종, 아나운서, 성우, 응급구조대원. 사우나. 종교인 의료인. 텔레마케터. 음악. 교육, 발레. 카운슬러, 이벤트 강사 등이다.

질병은 호흡기, 폐, 기관지, 심장, 혈액순환, 수족냉증을 조심해야 한다.
장소로는 성지. 사원. 유적지. 공연장, 기도처, 굿당 등이다.

20. 심판(Judgement)

[긍정적 측면]

1. 회복, 부활, 재기, 재개

2. 좋은 소식이 온다.

3. 사랑의 기적이 일어난다.

4. 여자에게 우선권을 준다.

5. 과거의 연인과 재회한다.

6. 사랑의 고백을 받는다.

7. 칠전팔기(오뚜기)

8. 예전에 했던 일을 다시 한다.

20. 심판(Judgement)

[부정적 측면]

1. 재기불능

2. 나쁜 소식을 받게 되는

3. 취직되지 않는다.

4. 이별. 이혼. 패배. 실망. 불합격. 패소

5. 반복되는 실수를 한다.

6. 남의 말을 새겨듣지 않는다.

7. 환멸, 지긋지긋한

8. 지루한 사랑

☞ 보충 설명

심판 카드는 부활 카드라고도 한다. 소식, 부활, 재기, 재도전, 재회, 재결합할 때 주로 나온다. 나팔을 부는 사람이 주체가 되는 것이 아니라 듣는 사람이 주체가 되면 성실하고 상대방에게 잘 맞춰주고 분위기 파악에 능하고 눈치가 빠르다. 소심하고 참모 스타일이고 피동적이고 수동적, 내가 받아들여야 한다.

연애운을 볼 때 대체로 여자 쪽에서 상대 남자를 맞추어 주어야 하며 상대 남자에 의해 연애의 결과가 좌지우지하는 경우가 나타나기도 하기 때문에 남자가 원하는 방향으로 여자가 따라가 주고받아 주면 무난한 연애를 할 수 있지만 그렇지 못한 경우가 많다.

금전운은 본인이 하는 것만큼 받는다. 지금까지 해왔던 것이 없다면 안 좋은 결과이고 해 온 것이 있고 노력한 것만큼 과정이 있었다면 결과가 있다. 따라서 뭔가를 다시 새롭게 시작하거나 노력해야 하는 시기이고 현재 상황을 받아드려 따라 주어야 하는 상황이거나 지금까지 해 온 것이 있다면 어느 정도 결과가 있다는 긍정적인 메시지가 담겨 있다.

21. 세계(The World)

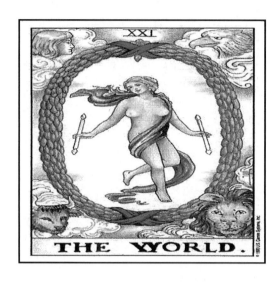

광대가 여행을 끝내고 집으로 돌아와서 휴식하고 있는 모습이다. 구름 속에 모습들은 공부를 마치고 나타난 모습이고 2개의 봉은 완성이다. 완성은 새로운 시작을 준비한다.

스타 카드는 한번 실패 후 성공이면 세계카드는 꾸준히 만들어 성공한다. 무조건 OK이다. 결혼을 의미한다. 결론은 해피엔딩으로 끝난다. 태양 카드가 제일 좋은 카드이고 그다음은 월드 카드가 좋다.

세계는 원만하게 어울리며 여유가 있는 사람이다. 카리스마가 있는 것은 아니다. 원하는 것은 다 가졌다. 마음이 넓고 노력형이며 다른 사람의 의견도 잘 수용한다.

세계카드는 완성한 후 새로운 시작을 나타내기 때문에 현재 진행 중인 연인

사이라면 당연히 반드시 결혼하게 된다. 그러나 연인 사이가 헤어진 다음 이 카드가 뜨면 다시는 그 헤어진 연인과 만나지 않게 된다는 즉 "완전 이별"을 뜻하여 새로운 출발을 하는 것이 낫다.

기혼자인 경우도 합의이혼을 하거나 이혼한 독신인 경우는 재혼하는 경우가 많다. 그리고 연인 사이에 이 세계카드가 나타나면 임신하는 경우가 많다. 이 카드가 부정적으로 뜨면 노력한 보람도 없게 되고 사업적 손실이나 프로젝트는 무산되고 연애운에서는 결혼하지 못하는 연인으로 결국은 헤어지게 된다.

세계카드는 해외 역마운이 강하여 여행, 외국 관련 사람들. 해외 관련업종과 인연이 많다. 외국계 기업에 근무한다든지, 해외 지사에서 근무하거나 해외 출장이 잦은 사람이다. 해외 관광여행 가이드나 무역업에 종사하신 분들도 이 카드에 해당한다. 또한 외국으로 이민하거나 장기 유학을 가는 사람도 마찬가지이다.

이사 운을 볼 때 이민이나 멀리 장거리 이사하는 경우는 세계카드가 잘 나오고 가까운 지역으로 이사하는 것은 운명의 수레바퀴가 잘 나온다. 사업운은 하던 것 말고 또 다른 새로운 것을 시작한다.

직업은 항공승무원, 조종사, 향해사, 스타일리스트, 외국관련일, 통역, 연예인, 패션, 외국계 회사. 연예인. 댄서. 외교관. 무역업. 통역. 패션. 의류. 장식업 등입니다. 질병으로는 산부인과. 비뇨기. 순환기. 혈관, 만성피로 등이고 여자는 자궁이 안좋고 남자는 허리를 조심해야 합니다.
장소로는 외국기관. 박물관. 백화점. 회의실 등이다.

21. 세계(The World)
[긍정적 측면]

1. 목표 달성, 프로젝트의 성공

2. 사람들의 도움이나 주목을 받는다.

3. 해외로 진출한다.

4. 대인관계가 원만하다.

5. 해피엔딩

6. 솔직하고 성실한 성격이다.

7. 토론. 토의, 심포지움

8. 성숙한 사랑

9. 실력보다 시험성적이 잘나온다.

10. 동료들 가운데 실적이 좋다.

21. 세계(The World)
[부정적 측면]

1. 미완성이 될 가능성이 있는

2. 도중하차. 국내로 들어온다.

3. 슬럼프에 빠지거나 미숙함으로 좌절한다

4. 외국으로 못 나간다.

5. 시작한 것을 끝내지 못하는

6. 사람들의 도움을 못 받는다.

7. 구설수. 주변 사람들이 배신한다.

8. 우물 안 개구리

9. 사랑의 함정에 빠진다.

☞ 보충 설명

메이저 카드에서 마지막으로 나오는 카드가 세계카드이다. 이 카드가 나오면 기존의 상태를 마무리하고 새로운 상태로 가는 시작이고 완성을 의미한다. 따라서 연인관계가 결혼으로 가야 하는 새로운 시작인데 그렇지 못하고 계속 갈등의 연속이라면 이별해야 새로운 출발(시작)을 할 수 있다.

이제 마지막 단계에서 완성하고 다시 처음 새로운 시작을 해야 한다. 그러기 때문에 이 세계카드는 지금까지 노력한 대가를 받을 수 있으며 카드 속의 여인이 양손에 두 개의 봉을 가지고 완성을 하여 춤을 추고 있다.

완벽하게 목적지에 도달하여 해피엔딩을 이루고 있다. 이 세계카드가 3 카드 배열법에서 결과 카드로 긍정적으로 나온다면 최고로 좋은 결과가 나타낸다.

여러 장의 배열법에서 전후 카드의 상황에 따라 부정적으로 해석할 때와 긍정적으로 해석할 때의 서로 연관관계를 잘 파악해야 한다. 이런 통변을 자유자재로 할 수 없으니 정방향과 역방향을 따져서 구분하고 또한 자체 카드의 원래 의미에 따라 해석하면 전후 관계의 해석이 엉뚱하게 나오거나 연결이 안 되는 경우가 많다.

질문의 핵심 키워드를 숙지하고 과거. 현재 상황의 모습을 보고 미래. 결과의 스토리를 잘 연결하며 여기에 핵심 조언을 첨가하여 그 질문상담자의 현재 문제점 파악하여 결과를 도출하는 판단 능력이 리딩(통변)실력이다.

질문에 따른 배열법을 수백번 비교분석 반복하여 연습을 하면 타로 달인이 될 수 있다. 이런 연습 속에 직감과 영감이 발달이 되고 어느 정도 경지에 오르면 배열법과 무관하게 스스로 카드를 뽑고 질문상황에 맞는 직관 타로가 가능해진다.

원래 타로의 본고장인 서양에서는 타로점 상담 비용은 서민들이 보기에는 부담 가는 비용이지만 한국에 도입될 때는 너무 저렴한 상담 비용으로 유희성 점치는 놀이 수단으로 도입이 되어 간단하고 가볍게 타로점을 보는 인식이 강하다. 한때는 젊은 층에 폭발적인 타로 유행이 있었고 지금은 많이 열기는 식었지만 다양한 연령층에게 타로점을 바라보는 인식이 많이 달라졌다.

마이너 아르카나 (Minor Arcana)

56장

7) 마이너 아르카나 4가지 요소 기본내용

8) 마이너 아르카나 상징 체계

9) 마이너 아르카나 56장

완즈:　　숫자(1~10). 인물(소년.기사.여왕.왕)

컵:　　　숫자(1~10). 인물(소년.기사.여왕.왕)

소드:　　숫자(1~10). 인물(소년.기사.여왕.왕)

펜타클:　숫자(1~10). 인물(소년.기사.여왕.왕)

7] 마이너 아르카나 4가지 요소 기본내용

타로카드는 총 78장으로 구성되어 있다. 이 중 22장으로 구성된 메이저 (major) 아르카나를 끝내고 이번 강의부터는 56장의 마이너(minor) 아르카 나에 대해서 설명하겠다.

4가지 종류(wands, cups, swords, pentacles)의 마이너(minor) 카드인데, 네 종류마다 각각 14장씩 56장으로 구성되어 있다. 여기에서도 2 종류로 나누 어서 1~10번까지 숫자카드 40장과 궁정카드(Court Cards) 16장인데 왕 (King), 여왕(Qeens), 시종(Pages), 기사(Knights) 4사람의 인물로 이루어져 총 56장이다.

마이너 카드는 '작은, 중요하지 않은' 이라는 의미의 이름만 보고 사소한 카 드라고 생각해서는 안된다. 오히려 메이저 카드보다 훨씬 다양한 삶의 모습 을 보여주기 때문에 마이너 카드를 대충 넘어가서는 안된다. 마이너 카드에 가장 기본적인 4가지 요소인 기본내용은 아래와 같이 설명할 수 있다.

@ 4원소 설명

지팡이(Wands): 봄, 불, 행동, 직관(열정)   火

컵스(Cups): 여름, 물, 감정에 쌓인 무의식 水

칼(Swords): 가을, 공기, 바람, 냉정, 차가운 지성, 날카로운 지성, 두뇌 風

펜타클(Pentacles): 겨울, 대지, 땅, 유지, 결실, 풍부함, 나태함, 地

4 원소란 지수화풍(地水火風)을 말하며, 또한 사람에게 있어서는 직관(直 觀), 감정(感情), 사고(思考), 감동(感動) 등을 나타내는 중요한 요소들이다.

1. 완즈(Wands)의 핵심어와 설명

완즈(Wands) : 지팡이로서 창조력의 불꽃을 일으킨다.

핵심어: 일과 사회활동

불(Fire)의 요소: 활동, 열정, 용기, 열망, 정열, 진취적 정신, 행동, 모험, 낙천주의, 에너지, 시작, 투쟁을 상징함

2. 컵스(Cups)의 핵심어와 설명

컵스(Cups) : 성배로서 감정의 물줄기

핵심어: 사랑과 감정(정서)

물(Water)의 요소: 감정, 직관, 잠재의식, 결혼, 사랑, 공상, 수동성, 관계(인연)

3. 소드(Swords)의 핵심어와 설명

소드(Swords) : 바람을 가르는 지성의 칼날

핵심어: 문제와 고통

공기(Air)의 요소: 정신적 태도, 차별, 투쟁, 정신적 활동, 갈등, 고통, 진취성,

4. 펜타클(Pentacles)의 핵심어와 설명

펜타클(Pentacles) : 금화로서 물질적 기반이 된다.

핵심어: 돈과 건강

흙(Earth)의 요소: 안정성, 신뢰성, 물질적 소유, 재능과 기술로서의 일, 건강 문제들, 견고, 자연, 책임감

5. 궁정 카드 특성

시종(Pages): 한 살에서 21(25)살, 시종은 다양한 성장과 경험단계에 있는 아이들을 의미함. 메신저, 학생, 젊은 성인, 그리고 관련된 문제를 나타낸다.

기사(Knight): 25세에서 35(40)세, 전령사(메신저)를 의미, 남자 또는 여성이 될 수 있다.

여왕(Queens): 35세 이상, 어머니 이미지, 권위, 성숙, 양육과 보육

왕(Kings): 35세 이상, 아버지 모습, 권위, 지혜, 경험의 상징

6. 스프레드와 카드의 종류

① 많은 완즈: 일 또는 사회적 활동과 많은 연관과 영향을 받고 있거나 받음.

② 많은 컵스: 사랑 또는 감정적 문제들과 관련되거나 영향을 받음.

③ 많은 펜타클: 돈 문제들 또는 건강 문제들과 관련되거나 영향을 받음.

④ 많은 소드: 문제 또는 고통과 관련되거나 영향을 받음.

⑤ 많은 메이저 아르카나와 궁정(인물) 카드(Court Cards): 너무 많은 사람들이 질문자와 관련되거나 영향을 주고 있다.

8] 마이너 아르카나의 상징체계

1. 4 가지 슈트(지팡이. 컵. 검. 동전)

우주 만물을 구성하는 4원소(地水火風). 연금술의 4대 요소

* 완즈(지팡이)

1) 불을 상징하며 활동적. 적극적. 창조적인 성격이다. 방향은 동쪽. 계절은 봄을 상징하고 기간은 몇 주를 의미한다.

2) 직관. 창조. 열정. 모험심. 상상. 에너지 등을 의미한다.

* 컵

1) 물을 상징하며 사색적. 관용적. 섬세적 성격이다. 방향은 남쪽. 계절은 여름을 상징하고 기간은 1개월을 의미한다.

2) 감정. 정서. 생각. 대인관계. 사랑. 명예. 예술 등을 의미한다.

* 검(소드)

1) 공기 또는 바람을 상징하며 이성적. 논리적. 지성적인 성격이다. 방향은 서쪽. 계절은 가을을 상징하고 기간은 몇달을 의미한다.

2) 논리. 지성. 지혜. 사고. 판단. 분석. 투쟁 등을 의미한다.

* 동전(펜타클)

1) 흙을 상징하며 현실적. 타협적. 단계적인 성격이다. 방향은 북쪽. 계절은 겨울을 상징하고 기간은 몇 년을 의미한다.

2) 물질. 재산. 현실. 지위. 재능. 재주. 기술 등을 의미한다.

2. 코트(궁정) 카드 (인물카드)

한 사람이 인생을 살면서 시간의 흐름에 따라 변화하는 과정을 보여준다.

* 소년(10대) -> 시작

1) 순수하고 집중력이 강한 학생이나 젊은이의 모습이다.

2) 젊음. 발달. 생동감. 천진함. 유연함을 상징한다.

* 기사(20대) -> 과정

1) 활동적이며 용감하고 적극적인 사람이다.

2) 목표. 실천. 이상. 탐구. 모험. 결실을 상징한다.

* 여왕(30대) -> 결과

1) 친근감 있고 포용하는 여성적인 지배자의 모습이다.

2) 신뢰의 리더십. 책임감. 수용. 사랑. 현실. 실용. 권위를 상징한다.

* 왕(40대) -> 결과

1) 자신감이 넘치는 성숙하고 남성적인 지배자의 모습이다.

2) 성공한 리더십. 책임감. 위풍당당함. 권위. 실용. 현실을 상징한다.

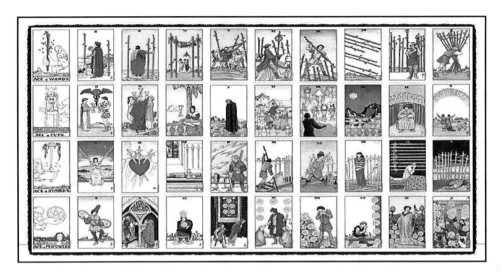

[마이너 카드 40장]

[궁정 카드(인물카드) 16장]

9] 마이너 아르카나 56장

완즈: 숫자(1~10). 인물(소년.기사.여왕.왕)

컵: 숫자(1~10). 인물(소년.기사.여왕.왕)

소드: 숫자(1~10). 인물(소년.기사.여왕.왕)

펜타클: 숫자(1~10). 인물(소년.기사.여왕.왕)

1. Ace Wands (에이스 완즈)

구름 속에서 손이 나타나 지팡이를 들고 있다. 지팡이가 갖는 불의 성질, 창조적, 직관적인 의미에 Ace의 새로운 시작과 긍정적인 내용이 결합 된 이 카드는 그야말로 순수하고 창조적인 에너지를 나타낸다. 새로운 업무, 창업, 모험적인 사업을 암시한다고 볼 수 있다.

구름 속이 손은 신의 계시, 뜻, 은총이며 시작의 의미를 나타낸다. 완즈(지팡이)는 열정의 에너지로서 새로운 일, 직업, 사업의 시작을 의미하며 결혼, 사업을 뜻한다. 완즈는 물상적으로 남자의 성기, 자녀잉태를 의미합니다. 성적인 욕구가 발산되고 있는 상태이며 정력이 좋아 육체적인 사랑을 추구한다.

완즈는 불, 직관, 행동을 나타내는 에너지로 열정과 창의력 요하는 직업이 필요하니 적극적으로 돌아다니는 영업이나 세일즈 등 활동할 수 있는 직업을 가지는 것이 좋다.

이 에이스 완즈는 아주 강력한 힘을 상징하는 카드이다. 사업에 있어서 이 카드가 나오면 대단한 추진력으로, 제대로 올바른 목표를 향하여 프로젝트를 수행하고 있다. 또한 새로운 일의 착수라는 의미에서 취업 이직 등에도 좋은 의미를 갖고 있다.

연애운에 있어서 이 카드가 뜨면 새로운 연인이 생긴다는 의미가 있고, 커플인 연인에게 이 카드가 뜨면 두 가지 의미인데 하나는 새롭게 태어나듯 새롭게 사귄다는 좋은 의미와 좀 더 성적으로 가까워진다는 의미를 갖게 된다.

사업 운에 있어서 이 카드가 부정적으로 나오면 프로젝트 시작이 어렵거나 시작된 경우 목표선정의 잘못 등으로 무산되기 쉽다. 또는 경쟁업체에 밀리거나 능력 없는 직원이나 기타 상사들의 영향으로 잘못되는 경우이다.

그리고 모든 에이스 카드는 구름 속에서 손이 나와서 완즈, 컵, 소드, 펜타클을 잡고 있다. 따라서 이 에이스 카드가 뜨면 "손재주"가 좋은 것으로 여겨서 전문직. 기술직 등의 분야에 종사할 가능성이 많다.

1. Ace Wands (에이스 완즈)
[긍정적 측면]

1. 어떤 일을 추진할 때 좋고 준비되어 있다.

2. 새로운 프로젝트의 시작. 창업. 사랑의 시작

3. 열정을 믿고 일을 하라.

4. 내가 먼저 적극적으로 행동해야 한다.

5. 여행. 이사. 모험의 시작

6. 더 넓은 세계로 나아가는 시작

7. 정력이 좋다. 성적인 욕구가 발산된다.

8. 아들을 낳는다.

1. Ace Wands (에이스 완즈)
[부정적 측면]

1. 잘못되거나 거짓된 시작

2, 충동적으로 행동하지 말라. 지나치게 나선다.

3. 의욕상실로 활동을 안한다.

4. 창의력 감퇴로 일에 대한 독창성이 부족하다.

5. 새로운 세계로 나아가지 못한다.

6. 준비부족으로 어떤 일을 추진하면 안된다.

7. 적극성이 없고 대담하지 못하다.

8. 정력이 약하다. 성적욕구가 부족하다.

9. 열정의 부족이나 열정을 오용, 남용, 악용, 과용한다.

10. 사업능력이 약하다.

2. Wands (완즈)

한 사람이 성벽에 홀로 서 있다. 바닥에는 그가 이미 성취한 것을 나타내는 지팡이가 세워져 있고, 손에는 미래의 가능성을 나타내는 지구본이 들고 있다. 다음의 행동을 위하여 심사숙고하고 있는 장면이다.

이 카드는 고상한 이상, 목표, 장래성을 나타내며, 미래의 성공을 약속하는 카드이다. 따라서 독창성과 창조력을 발휘하여 능히 장애물을 극복할 수 있다. 성벽 안에 있는 것은 안전한 쪽으로 간다는 뜻이고 모험을 안하겠다는 것이다.

한 가지는 완벽하고 다른 한 가지는 불안정을 의미한다. 지구본, 바다는 외국을 동경하며 유학, 이민, 해외확장을 뜻한다. 투잡을 하고 뭔가 하고 싶어 하는 성향이다. 과거에 어떤 일을 성공한 후 뭔가 다시 새롭게 시작을 하려고 한다.

2 완즈는 어떤 일이나 사업을 막 추진하고 있는 초기 단계라고 할 것이다. 2 완즈는 사리 분별이 확실하고 성실하며 열정과 야망이 있고 대단한 용기를 가지고 있다. 사업적인 재능을 가지고 있으며 아직은 프로젝트가 구체적이지 않는 상태이고 노력과 끈기가 더 필요하다.

세상은 넓고 할 일은 많다는 야심가의 모습이다. 완즈의 특성인 열정과 사회적 활동력과 추진력을 가지고 있다. 현 상태에서 만족하지 못하고 더 큰 일 하려는 미래지향적인 태도를 추구한다.

얼굴이 옆으로 감추고 있어 애정적으로 과거가 있는 사람이며 꽃은 여자를 의미하며 성적으로 제압하고 있다. 애정운에서 이 카드가 나오면 남자의 적극적인 애정 표현으로 여자를 잘 주도한다. 하지만 일이나 사업에 몰두하여 연인이나 배우자를 외롭게 할 수도 있다.

이 카드도 주인공이 해외로 눈을 돌리고 있으므로 만약 직장인이라면 외국계 기업이나 무역업 등에 종사할 수 있으며 사업가라면 외국과 관련된 사업이거나 해외 확장을 추진하는 계획을 세우고 있다.

학생일 경우에는 해외 어학연수. 유학 등으로 해외 한 2년 정도 나갈 때 뜨는 카드이기도 하다. 지구본은 물상적으로 발명가. 이공계. 과학기술계. IT 등을 의미한다.

2. Wands (완즈)
[긍정적 측면]

1. 새로운 일에 도전하다.

2. 대담하고 지배적인 성격의 야심가

3. 야망(성공)과 사랑 사이에서 야망을 선택한다.

4. 미래지향적인 태도

5. 과학적 지식과 발명가적 기술이 있다.

6. 현재에 만족하지 않고 더 큰 일을 하려고 한다.

2. Wands (완즈)
[부정적 측면]

1. 사랑보다 성공을 선택하고 욕심이 많고 배신한다.

2. 내면보다 외면을 더 중시한다.

3. 모험하지 말고 현재 상황에 만족하라.

4. 두가지 문제나 일 중에서 한가지를 선택하라.

5. 가정생활보다 사회생활을 더 중시한다.

6. 남성이 여성을 성적으로 억압한다.

7. 양다리. 바람둥이. 과거가 있는 사람

8. 남성이 여성을 구속한다.

3. Wands (완즈)

바닥에 꽂힌 3개의 막대기는 그가 노력한 대가로 이미 성취한 것을 나타낸다. 즉, 최초의 성공을 표시하는 만족의 카드이다. 그러나 멀리 지평선을 바라보고 있는 모습에서 알 수 있듯이, 그에게는 아직도 할 일이 많기에 도전의 카드이기도 하다.

굳건한 땅은 입지가 확고하여 안정성이 있으며 배는 무역선으로 거래처를 나타내고 바다는 해외를 뜻하고 숫자 3은 초기 완성을 의미한다. 뒷 모습을 하고 있는 것은 현재 모습은 관심이 없다는 것이며 새로운 구상, 사업확장, 프랜차이즈를 뜻한다.

노랑색은 풍요, 여유, 경제력이 있는 것을 의미한다. 사업은 좀 더 확장을 바라고 있으며, 사업적 수완과 재능이 있다. 해외, 해외무역, 외국어, 영어를 잘하는 사람으로 성 밖으로 나와 있어 3 완즈는 실행을 하려는 사람이고, 프로젝트가 계획단계가 아니라 구체적인 단계까지 나와 있다.

제반을 어느 정도 해놓은 상황이라 결과가 곧 나오니 소득이 바로 생긴다. 사업의 대표적 카드로서, 상업, 프랜차이즈 체인점, 무역업으로 크게 확장하며 상술이 뛰어난 능력가이며, 3 완즈는 계획이나 아이디어가 실현되는 시기이다.

연애는 결혼을 뜻하고 100% 만족을 못 한다. 더 괜찮은 사람을 만나고 싶어 한다. 양다리. 바람을 뜻하고, 과거가 있는 사람(바람둥이)이며 동거생활을 한 경험이 있다. 중년 또는 나이 차이가 크게 나는 남자 사업가 등이며 부정적으로 나오면 유부남이거나 육체적인 사랑을 목적으로 한다든지 부정적인 이미지가 강하다.

3 완즈는 직장(취업)을 기다리거나 멀리 떨어져 있는 연인 등 무언가를 기다리고 있는 모습이니 그리움이 있다. 숫자 2는 대상을 만나는 단계라면 숫자 3은 초기 단계 일의 완성이라 계획이 실현되는 시기이고 노력에 관한 결과를 이루는 시기이다.

3. Wands (완즈)
[긍정적 측면]

1. 노력했던 댓가가 열매로 맺어진다.
2. 사업규모를 확대하라.
3. 아직 큰돈은 아니지만 앞으로 가능성이 있다.
4. 지지 기반이 확고한 사업가
5. 무역이나 상업에서 유리하다.
6. 열심히 일해서 이익을 거두고 발전한다.
7. 프랜차이즈 체인점. 회원제 사업이 유리하다.
8. 믿고 기다려야 한다.
9. 경륜이 있는 사업가
10. 뒷받침해줄 수 있는 환경이 되어야 돈을 번다.

3. Wands (완즈)
[부정적 측면]

1. 자존심과 오만함에 주의해야 한다.
2. 무리한 계획이나 확장하지 마라.
3. 바람둥이. 동거생활. 과거가 있다.
4. 기반이나 터전이 와해 되거나 붕괴된다.
5. 사업규모를 축소해야 한다.
6. 예상된 실적이 달성되지 못한다.
7. 의지하지 말고 배신을 조심해야 한다.
8. 연인을 기다리지 않고 신경을 쓰지 않는다.
9. 대출하지 말아야 한다.
10. 과거에 대한 추억을 잊어라

4. Wands (완즈)

이 카드는 행복을 나타내고 있다. 승리를 나타내는 화환의 무늬가 아치를 형성하고 있으며, 두 사람은 꽃다발을 높이 들고 다가오고 있다. 숫자 4는 안정. 현실을 나타내고 성은 보호. 안정을 의미한다.

일이나 사랑의 노력에 대한 보상이나 결실이 주어진다. 원하는 것을 이룰 수 있고 일을 통해 한 단계 더 발전 할 수 있다. 행복한 기쁨, 휴식, 휴가, 축하, 결혼, 신혼여행, 화목한 가정을 의미한다.

직장에서는 취업운과 승진운이 있으며 수험생인 경우는 시험 합격운이 있다. 직업적으로는 이벤트 기획관련(파티. 웨딩 플랜너). 창의력을 쓰는 업종에 종사할 수 있으며 물상적으로 꽃을 재배하는 화훼업이나 귀농을 하여 농장

운영을 하는 모습이다. 사업적으로는 본인과 잘 맞는 사람과 동업을 할 수 있다.

4 완즈는 즐거운 축제나 잔치 분위기이며 행복의 문으로 들어가 서로 꽃다발을 들고 행복하고 서로 화합하며 만족스러운 모습이다. 집안 분위기가 안정이 되어 가족들이 서로 화목하여 행복스러운 분위기이며 또한 이제 막 결혼한 커플이 신혼여행을 가서 행복에 젖어 단꿈을 꾸는 모습이다.

4 완즈가 부정적인 경우라면 집안이 화목하지 못하여 불안정하고 불행한 가정이나 관계를 의미한다. 4 완즈 카드 자체의 분위기는 행복의 모습이지만 주변 카드가 부정적인 모습이라면 4 완즈의 해석을 행복을 바라는 관점으로 해석해야 한다. 이런 전후 관계의 해석을 상황에 맞추어 적절한 키워드를 분석해야 한다.

따라서 4 완즈의 부정적인 해석을 단순히 불행하다고 보는 것 보다는 가정이나 연인 등에게 돌아가 서로 화목하고 화해해야 한다는 조언의 개념으로 해석해야 한다.

4. Wands (완즈)

[긍정적 측면]

1. 화목, 화합, 안정, 행복. 축하

2. 결혼. 예식장, 재결합

3. 노동의 결실. 노력에 대한 보상

4. 귀농하여 농장 운영

5. 마음에 맞는 동업

6. 즐거운 휴식. 휴가. 신혼여행

4. Wands (완즈)

[부정적 측면]

1. 불안정한 사랑

2. 사랑과 화합이 식어가는

3. 가정풍파. 가출

4. 가정으로 돌아가라.

5. 서로 화해를 해라

6. 미완성의 행복이나 성취되지 못한 사랑

5. Wands (완즈)

마이너 카드에서 5번은 부정적인 의미가 많다. 인생과 사랑에서 갈등이 묘사되고 있다. 이 카드는 사소한 장애물, 단기간의 곤란 등을 나타내고 있다. 일이 제대로 진행되는 것 같지는 않다. 의견이 다르고 사공이 많아 배가 산으로 간다.

지팡이의 모습은 열정. 혼잡. 복잡. 방어. 부조화를 나타내고 있으며, 숫자 5는 싸움. 투쟁. 경쟁을 나타낸다. 현실적 문제들과 싸워야 할 시기이며 분쟁, 시시비비를 가려야 한다. 투쟁해야 원하는 것을 얻을 수 있다.

여러 다수가 끼어 있어서 합의가 안 되고 주변의 경쟁률이 좀 세며 골치가 아프다. 또한 이 생각 저 생각 생각이 많다. 서로 다른 색의 옷을 입고 있어 각자의 의견이 다르므로 논쟁하고 또한 공개적으로 대놓고 싸운다.

사업 운에서 이 카드가 나오면 경쟁업체가 많은 것이며, 시험 보는 수험생에게서 이 카드가 나오면 경쟁률이 높은 것이다. 애정운에서 이 카드가 뜨면 서로 다투거나 한 여자를 두고 경쟁하거나 아니면 상대방 주변에 여자가 많은 경우 등의 좋지 못한 상황을 의미한다.

급작스러운 변화로 인하여 현실에 가지고 있는 것들이 깨질 수 있으니 행동하기 전에 주위를 잘 살피고 상황을 깨끗이 정리해야 하는 올바른 충고가 필요하다.

이 카드가 부정적으로 뜨면 승진 누락, 퇴직, 불합격 등을 당하게 된다. 실제로 별 이유 없이 그저 적당히 몇몇 사람의 결정에 따라 적당히 강요된 퇴직자의 경우 이 카드가 뜨기도 한다.

---

5. Wands (완즈)
[긍정적 측면]

1. 아이디어가 활발한 열띤 토론
2. 선의의 경쟁자가 많다.
3. 현실적 문제들과 싸워야 할 시기
4. 말다툼하는 것이 이롭다.
5. 장애물과 방해 요소를 극복한 후의 성공
6. 노력 후 금전운이 좋아진다.

5. Wands (완즈)

[부정적 측면]

1. 격렬한 싸움과 갈등

2. 힘든 상황

3. 머릿속에서 여러 생각들이 마찰을 일으킨다.

4. 말다툼. 주먹다짐

5. 투쟁에서 벗어나기 어렵다.

6. 일이나 성취에 있어서 차질과 지연이 발생

7. 협력자와의 갈등

8. 성욕 등 다양한 욕망에 휘말려 있는

9. 왕따. 억울한 희생

6. Wands (완즈)

직업적인 소원성취나 그에 대한 만족을 나타내는 카드이다. 승리의 월계관을 쓴 사람이 주변 사람들의 성원을 받으며 말을 타고 있는 모습에서, 노력에 대가를 받았음을 알 수 있다. 성취의 기쁨을 혼자서만 누리지 말고, 여러 사람들과 같이 나누는 것이 좋겠다.

6 완즈는 당당히 싸우고 이기고 돌아온 모습이며, 백마와 완즈 지팡이는 남보다 높은 명예와 능력이 있고 월계관은 노력에 대한 보상이다. 잘생긴 남자이며 잘난체하고 으스대는 성향이 있다. 말은 역마로 여행이나 유학을 의미한다. 6 완즈는 열심히 노력한 것에 대한 보상이 주어지는 좋은 소식이 있어 성공, 성취, 승리를 나타낸다. 따라서 당당히 열정을 가지고 도전하면 승리할 수 있다.

사업 운에서 이 6 완즈가 나오면 내가 경쟁업체보다 능력이 뛰어나며 조건이 좋다. 재물 운에서도 상당히 강해서 투자 등에 유리하다. 수험생인 경우, 시험에서 합격을 보장하는 카드이다. 또한 직장에서는 명예가 상승하고 자신을 따르는 사람들이 많아서 인복이 많고 승진 운도 좋다.

연애운은 인기가 있어 주변에 여자가 많아 바람기가 많다. 여자는 멋진 남자 만날 수 있고. 애인이 있다면 남자 애인이 잘났다. 또한 여자를 성적으로 정복한 깊은 관계이다. 경쟁자들이 많은 인기 있는 한 여성을 자기 여자로 만든다. 애인이 없다면 조만간 원하는 사람을 만날 수 있고 긍정적인 면이 많다. 결혼한 기혼자라고 한다면 임신을 뜻한다.

6 완즈의 부정적인 측면은 애정운은 다투고 이별하고 사업 운은 출혈이 심한 가격 경쟁이 심하거나 경쟁업체가 많다. 직장 내에서는 하극상으로 믿을 수 없는 부하가 있다. 승리는 했으나 인정받지 못한 승리이고 허울뿐인 이득이라 실속이 없다.

6. Wands (완즈)
[긍정적 측면]

1. 승리. 성취. 목표달성

2. 인정을 받으니 우위에 오른다.

3. 임신. 원하는 성관계가 이루어진다.

4. 좋은 소식. 투쟁후의 성공

5. 약점을 감추고 장점만이 드러난다.

6. 경쟁자들을 물리치고 자신이 승리한다.

6. Wands (완즈)
[부정적 측면]

1. 좋지 못한 소식

2. 인정 받지 못하는 승리

3. 신의 없고 믿을 수 없는

4. 부하 말을 믿으면 안되거나 부하가 말을 안듣는다.

5. 지연. 손실. 패배. 불만

6. 너무 과신하지 마라

7. 주위사람들이 본색을 드러낸다.

8. 경쟁자가 많아서 차지하기가 어렵다.

7. Wands (완즈)

6개의 지팡이가 공격하고 있으나 젊은이는 용기있게 대처하고 있다. 사업적으로 힘든 경쟁자들을 만나더라도 인내와 자신감, 용기를 가지고 대처한다면 멀지 않은 장래에 반드시 성공할 수 있음을 나타내는 카드이다.

힘겹고 버거운 상황이고 너무 무리하면 안 된다. 사업 운이나 애정운 또는 취업운 막론하고 경쟁자가 많은 상태이다. 직장인이라면 입사 초기 힘든 상태이고, 사업 운이라면 동일 업종의 경쟁이 심한 상태로 힘겹게 버티는 상황이며, 애정운이라면 삼각관계 이상의 경쟁이 있는 상태이며, 취업이라면 역시 경쟁이 쉽지 않은 상태이다.

하지만 긍정적인 측면에서는 극복할 수 있는 장애물이고 경쟁자가 있지만 힘이 있어 어려운 상황이지만 이겨낼 수 있다. 베테랑일 경우는 협상에서 유리한 입장이고 신입사원이거나 경력이 짧은 사람은 버겁다.

열정을 가지고 노력하며 인내하는 방어의 카드이다. 어려운 상황에서도 자기 자리를 지키기 위해 힘을 다하는 사람이다.

부정적으로 나오면 힘든 표정을 하는 주인공이 지쳐서 너무 버겁고 힘들어 결국 방어를 포기하여 패배로 이어질 가능성이 상당히 큰 상태이다.

신발이 달라서 내 일이 아니고 남의 일에 참견하여 고생을 사서 한다. 사람들이 다가오는 것을 차단하고 있지만 수적으로 불리하다. 따라서 자신을 위협하는 사람들이 많은데 이것을 지킬 힘이 없다. 애정적으로는 여러 사람이 대쉬해도 스스로 막고 있다. 쉽게 상대를 받아들이는 입장이 아니다.

---

7. Wands (완즈)

[긍정적 측면]

1. 고군분투. 방어. 맞서 싸우고 있는 의지

2. 어려운 상황이지만 이겨낸다.

3. 가까스로 승리. 성공한다.

4. 극복 가능한 장애물

5. 자신감. 용기. 배짱. 저항

6. 도전적인 프로포즈

7. 지금은 현실에 충실해야 한다.

7. Wands (완즈)

[부정적 측면]

1. 현재 상황을 극복하기에는 버겁다.

2. 걱정거리가 치고 올라온다.

3. 믿었던 사람에게 배신당한다.

4. 밀려오는 일의 업무처리를 못한다.

5. 일하는데 장애물이 많다.

6. 내일이 아닌데 참견한다.

7. 성추행을 당하거나 한다.

8. 망설임 때문에 손해를 본다.

9. 의지박약. 겁쟁이

10. 수적으로 불리한데 무모하게 덤빈다.

11. 장애물. 실패. 낭패

12. 부하, 동료 등 경쟁자들에게 밀린다.

8. Wands (완즈)

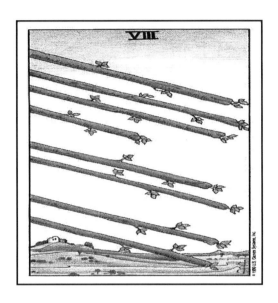

지팡이가 하늘을 날고 있어 이는 열심히 활동할 필요성을 나타낸다. 침체, 지체를 벗어나 솔선수범을 보이며 새롭게 시작할 때이다. 빠른 이동, 변화. 신속한 결정을 의미하며 비행기를 타고 해외로 나가는 이동이다. 주변 카드에 따라 좋고 나쁠 수 있다.

사람을 뜻할 때에는 성격이 급한 사람일 경우 이 카드가 나온다. 또한 들뜬 감정으로 마음이 떠 있는 상태를 나타낸다. 직장인이라면 이직이나 퇴직하기 위해 마음이 뜰 때도 이 카드가 잘 나온다. 사업 운이라면 신속하게 대응하지 않으면 경쟁에 밀려서 손해 보는 경우를 나타낸다.

8 완즈는 이동과 전진의 카드로 속도가 빠르고 완즈가 빠르게 이동하고 있어 빨리 결정하여 무대를 옮겨 새롭게 활동하는 시기이다. 애정운의 경우 상대방이 성격이 급하고 대화도 화끈한 경우가 많으며 연애의 진전이 상당히 빠른 경우가 대부분이다.

이 카드는 신속한 이동을 나타내므로 물리적인 이동 즉 부서 이동 등 인사이동이나 여행이나 이사 등을 나타내는 경우가 있다. 이러한 경우라면 질문자가 인사이동 관련점이라든지 여행 관련점 또는 취업 관련점 등에서도 나타나고 취업이라면 신속히 원하는 취업이 이루어진다고 할 것이다.

이러한 것들도 사실은 주변 카드를 보고 해석할 것이며 때에 따라서는 신속히 이루어져도 자신이 원하는 부서가 아닌 경우도 있을 수 있다.

부정적으로 나오면 가장 강력한 해석은 급하게 서둘지 말고 "천천히 천천히 조심해서 신중하게 움직여라!"이다. 주변 사정이나 환경이 경솔하게 움직이면 크나큰 손해를 보게 된다는 뜻이기도 하다.

8. Wands (완즈)
[부정적 측면]

1. 지나치게 서두른다.
2. 말을 너무 빨리해서 겪는 언쟁의 고난.
   성격이 다소 급하다.
3. 일을 빨리 처리하지 마라.
4. 시험 불합격
5. 지나친 애정 공세로 실패한다.
6. 질투의 화살
7. 이별. 이혼. 실직. 부도
8. 안 좋은 것이 빠르게 진행된다.
9. 현재 움직이면 안 좋다.

8. Wands (완즈)
[긍정적 측면]

1. 일을 일사천리로 진행해야 한다.
2. 이동. 여행. 이사
3. 이직. 퇴직. 부서 이동. 근무지이동
4. 적극적으로 애정 표현을 한다. 사랑의 화살
5. 속도감이 빠르다.
6. 단기간에 끝내야 한다.
7. 기회를 놓치지 마라.
8. 비행기. 인터넷 서버 관련 종사자
9. 조만간 원하는 결과를 얻는다.

9. Wands (완즈)

젊은이가 머리에 붕대(이미 투쟁을 거쳤다는 의미)를 감고 자신의 영역을 지키고 있다. 뒤의 여덟 개의 지팡이를 경쟁자나 적으로 보고 뒤를 곁눈질로 보면서 경계하는 모습이다. 숫자 10은 완성을 의미하고 숫자 9는 1개가 부족하여 2% 부족한 미완성이다.

따라서 지금 힘든 상황인데 마지막 고비를 잘 넘겨야 한다. 무엇인가 지키는 것을 의미하고 의심과 눈치를 보면서 경계하고 긴장하는 모습이다.

애정운을 볼 때 이 카드가 나오면 여러 가지 상황을 유추해 볼 수 있다. 연인이 있는 상태라면 상대방을 의심하고 경계하느라 주변 상황을 너무 의식하고 집착할 수도 있고 전혀 그렇지 않은 경우라면 연애 하지만 주변 환경(직장·친구·취미)에 신경 쓰는 경우가 많아 애인에게 소홀히 하는 경우가 많지만 이별하지는 않는다. 또 다른 측면에서 본다면 이성 관계가 복잡하여 바람둥이일 수도 있다.

사업 운이나 취업운 시험 운에서 이 카드가 뜨면 경쟁이 상당히 심한 것이며 때에 따라서는 보이지 않는 숨은 적들이 많은 것이다. 직장에서는 주변의 눈치를 봐야 할 상황이고 사업은 들어오는 수입보다는 나가는 지출이 많다. 미래나 결과 카드가 이런 카드가 나왔다면 노력을 배가하여야 한다. 그만큼 경쟁률이 높기 때문이다. 그러나 타격은 입지만 잘못되는 일은 없고 다치기는 하지만 망하지는 않는다.

사업 운이든 시험 또는 취업운이든 이 카드가 부정적으로 나오면 그야말로 모든 것을 포기하고 주저앉은 꼴이 된다. 버티지 못하고 주저앉은 것으로 중도하차를 의미한다. 애정운에서도 스스로 감당치 못하고 포기하는 경우라 할 것이다.

또한 이 카드가 부정적으로 나오면 많은 스트레스와 함께 신경 치료를 필요로 하는 지경이 될 수 있는 등 건강에 문제가 될 수 있다. 이것은 그야말로 더는 버티지 못하고 쓰러진 카드이기 때문이다. 9 완즈는 무엇인가를 지키기 위해 과로가 쌓이고 신경성이 약간 있고 불만이 있으며 체력의 약화로 건강에 유의해야 한다.

9. Wands (완즈)

[긍정적 측면]

1. 경계를 취하면서 방어하는
2. 칠전팔기 정신이 요구된다.
3. 최후의 시련 단계
4. 경계근무(경비업)
5. 돌다리도 두드리면 건너간다.
6. 이 보 전진을 위한 일 보 후퇴. 잠시 물러나야 할 시기
7. 경쟁에서 지쳤지만, 아직 끝나지 않았다.
8. 경쟁이나 반대를 두려워하지 않는다.

9. Wands (완즈)

[부정적 측면]

1. 싸움에 지친
2. 경쟁자나 연인을 두려워하거나 의심하는
3. 장애물과 역경. 중상모략
4. 체력의 약화. 과로
5. 주변 환경을 그만 살피고 정면 돌파하라.
6. 눈치보다 큰코 다치는 상황
7. 직장생활을 포기하고 휴식이 필요하다.
8. 가지고 있던 애인이나 열정을 빼앗긴다.
9. 경쟁자에게 압도 당하다.
10. 숨겨진 적, 속임수
11. 경쟁이 심하다.
12. 눈치. 의심. 긴장. 경계
13. 원하는게 있어도 용기가 없어 접근하지 못한다.

10. Wands (완즈)

혼자서 옮기기에는 대단히 무거운 짐을 나르고 있다. 육체적, 정신적인 부담을 느끼고 있음을 나타내는 카드이다. 그러나 숫자 10은 완성이라 곧 짐이 없어지고 문제도 풀리겠지만, 이러한 짐을 스스로 해소하기 위해서는 무언가 긍정적인 변화를 시도해야만 할 것이다.

힘들고 버거운 상황이며 욕심이 많아 본인이 스스로 무리한 목표나 시도를 만들고 있는 경우도 있으니 지나친 욕심을 버려야 한다. 이 카드가 나오면 지금까지 역량을 쌓아 놓아 힘이 있는 숙련된 전문가는 힘이 들어도 이겨낼 수 있지만 경험이나 능력이 아직 미숙한 이제 시작하는 초보자나 신입사원일 경우는 너무 버겁고 힘든 카드이다.

10 완즈가 사업운의 경우 상황이 상당히 어려운 상태이다. 가야할 길은 멀

고 임금은 주어야 하고 경쟁은 높고 압박감에 시달리고 있다. 직장 운에서 이 카드가 뜨면 과중한 업무에 바쁘고 일복이 많은 사람이기도 하다. 육체적 노동이 필요한 직장이라면 어깨나 근육통으로 건강에 유의해야 한다.

시험 운이라면 온 힘을 다하여 벼락치기로 공부해야 한다. 온 힘을 다하여 단기간 내에 끝내야 한다는 의미를 갖고 있으며, 시간 끌면 지쳐서 쓰러지고 만다. 따라서 성패를 떠나서 올인하는 자세가 중요하다.

애정운에 연인이 있는 경우라면 이별하지는 못하고 서로 힘들게 연애하는 모습이고 결혼까지 가기에는 힘들 수 있다. 또 다른 측면으로 여성 내담자인 경우라면 남친의 성욕과 정력이 강해 다 받아줘야 하는 상황이다.

---

10. Wands (완즈)

[긍정적 측면]

1. 목표성취를 위한 노력을 하고 있다.
2. 조금만 참으면 어려운 문제가 해결된다.
3. 온 힘을 다해 단기간에 끝내야 한다.
4. 한꺼번에 밀어붙여야 한다.
5. 힘들어도 꾹 참고한다.
6. 정력과 성욕이 강하다.

---

10. Wands (완즈)

[부정적 측면]

1. 과중한 업무로 스트레스를 많이 받는다.

2. 지나친 압력과 압박이 심하다.

3. 지나친 욕심을 버려야 한다.

4. 일하는데 요령이 없고 무조건 일만 한다.

5. 사서 고생한다.

6. 주변 도움 없이는 결국 포기한다.

7. 남의 짐을 대신 짊어진다.

8. 정력을 너무 사용하여 고갈된다.

9. 지쳐서 쓰러짐. 과로

Page of Wands (소년 완즈)

Page는 아직 초기 단계를 나타내고 소년 완즈는 창조적이나 섬세하고 약한 시작을 의미하며 미숙한 상황을 나타낸다. 의욕은 강하고(완즈), 아이디어 제공자, 소식 전달자(전령)를 의미한다. 소년 완즈는 시작은 하지만 결과는 미미하다. 이 카드는 새로운 시작(사람)을 하거나 좋은 소식이 오는 경우를 말한다.

소년 완즈는 아직은 어리고 미숙해서 다른 사람에게 의존하지만, 모험을 좋아하며 순수하고 착하며 열정이 있고 장난기도 있으며 호기심과 모험심이 있는 젊은 소년(소녀), 견습생, 10대의 모습이다. 그러나 부정적인 면에서는 말이 많고 입이 가벼워 속에 담아 놓지 못한다. 충동적이고 조바심이 없으니 말조심해야 한다. 또한 우유부단하고 미숙하여 시작을 잘하는데 마무리가 약하다.

소년 완즈는 주로 학생이나 신입사원 등을 의미한다. 학생은 호기심 많으며 열심히 공부하고 재능이 있으며 직장인인 경우는 아직은 직장에서 초심자이지만 모험심이 많고 활동적이며 재능 있는 직원으로서 무한한 창조성을 발휘하여 성장 가능성이 크다고 볼 수 있다.

연인 카드에서 이 카드가 뜨면 남자는 연하일 경우가 많이 있다. 매우 충실한 애인으로서 가식이나 내숭이 없는 이성에 대한 순수한 사랑이 있다. 따라서 오직 한 사람만 바라보는 일편단심 연인이거나 믿음직스러운 배우자인 경우가 많다.

Page of Wands (소년 완즈)
[긍정적 측면]

1. 매우 충실한 친구. 애인

2. 믿을만한 아랫사람. 젊은이

3. 보살핌이나 양육이 필요한 단계

4. 좋은 소식이 온다.

5. 학생. 신입사원. 초심자. 견습생. 연하

6. 당신과 입장이 서로 일치한다.

7. 연인에 대한 사랑이 각별하다. 짝사랑

8. 새로운 시작. 초기 단계

9. 순수하고 착하다.

10. 새로운 제안이나 기회

Page of Wands (소년 완즈)

[부정적 측면]

1. 충동적. 위험한 호기심. 경솔한 행동

2. 말이 많고 비밀을 폭로한다.

3. 주변을 어지럽히는 사람

4. 우유부단. 용두사미. 겁쟁이. 소심한

5. 너무 가식이 없어 손해를 본다.

6. 안 좋은 소문. 나쁜 소식을 알리는

7. 소식을 기다리는데 연락이 없다.

8. 연인에게 너무 집착한다.

9. 당신의 마음을 아프게 할지도 모르는 사람

10. 단순하고 노련하지 못해 미숙하다.

11. 불성실한, 기회를 놓침

Knight of Wands (기사 완즈)

말이 움직이는 것은 이동, 변동(직장, 집), 이사 운을 나타낸다. 어느 정도 발전 진행 상황이고 새로운 일을 벌이거나 시작은 OK이다. 젊은 20대를 의미하며, 열심히 일하는 사람이며, 호기심이 많고 활동적이며 적극적이다. 그러나 너무 적극적이라 일을 잘 저지르고 무모할 수 있다.

기사 완즈가 애정운에서는 바람기가 많고 금방 사랑이 뜨거워졌다가 금방 식는다. 그러나 뒤끝은 없다, 나중에 배우시겠지만 펜타클 기사는 말이 정지되어 있어 이동(변동)을 안 한다. 기사 완즈는 동갑이나 비슷한 연령자와 연애를 한다.

사업 운의 경우라면 프로젝트가 잘 진행되는 것이며, 직장인이라면 성실하고 정열적인 직원을 뜻하는 것이기도 하다. 이 기사의 연령층은 대개

20~30대 말하고 있다. 사무직보다는 영업직이나 차를 타고 돌아다니면서 활동하는 업종이 어울린다. 재물 운도 여기저기 돌아다녀야 돈이 될 수 있다.

학생인 경우는 유학이나 어학연수에 가거나 직장인 경우는 이직. 이사나 부서 이동으로 이동 변동 수를 의미한다. 여기서 말이 상징하는 것은 역마성이다. 역마는 이동성을 말한다.

직업으로는 지방으로 근무처를 옮긴다거나 아니면 해외 관련업종인 무역회사 근무, 해외 관련 부서, 해외 출장 근무, 해외 파견, 등이다.

기사 완즈가 부정적인 경우는 주변 사람들한테 구속받기 싫어하고 너무 성급하여 실수할 수 있고 싸울 수 있으며 열정이 앞서다 보니 끝장을 내려는 성향을 보이는 무모함이 있다.

물상 대체로 보면 말은 자동차나 오토바이를 의미하니 드라이브를 즐기는 사람, 순찰차, 택시, 배달 차량 등으로 느낄 수 있으며, 기사는 제복을 의미하니 경찰. 경호원. 택시 기사, 배달 기사 등으로 표현할 수 있다.

Knight of Wands (기사 완즈)
[긍정적 측면]

1. 쾌활하고 외향적인 사람

2. 모험심과 도전 정신이 강한 사람

3. 기발한 창의력을 소유한 사람

4. 유머 감각이 풍부하고 시원시원하며 뒤끝은 없다.

5. 적극적으로 이성에게 대시한다.

6. 미지의 해외시장을 개척한다.

7. 거처를 변경한다. 이동. 변동. 이사. 여행. 유학. 진급. 취직. 승진

8. 여기저기 돌아다닌다. 영업직

9. 새로운 일을 시작한다.

Knight of Wands (기사 완즈)
[부정적 측면]

1. 모험하기 좋아하며 가정을 돌보지 않는다.

2. 허장성세가 심하다.

3. 용두사미

4. 성공 불투명한 일에 무모하게 뛰어든다.

5. 인내심이 없고 기다리지 않는다.

6. 시끄럽고 뒷정리를 안 하는 사람

7. 사랑이나 일이 성사되지 않고 틀어진다.

8. 일을 잘 저지른다. 창조적 모험과 발상이 지나치다.

Queen of Wands (여왕 완즈)

여왕 완즈는 정면으로 앉아 있다. 여걸, 여장부 스타일이고 밖에서 일하는 것을 좋아하고 도전적이고 사업 운이 좋다. 중년여성을 뜻하며, 리더십과 추진력이 있는 능력이 있는 커리어우먼이다.

가정에서도 살림도 잘하여 현모양처의 행동을 하고, 사회적으로는 외향적이며 금전 능력이 뛰어나 전문 직종에 종사한다. 여왕 완즈의 양손에 해바라기와 완즈를 들고 있어 일이나 가정에 모두 다 잘한다.

연애는 까칠 화통하여 쩨쩨한 남자를 싫어하고 남자한테 잘 빠지지 않는다. 연하 남자와 인연이 많고 주변 남자가 많아도 바람을 쉽게 피지 않는다.

그러나 이 완즈 여왕 카드에 검은 고양이가 있는데 고양이는 의심이나 불안 증 또는 의부증을 연상시켜서 해석하고 있다. 부정적일 때 시기. 질투. 변덕 집착 등의 특징이 잘 나타난다.

직장인 경우는 고위 관리직에 종사할 수 있으며, 그 권위는 사자와 관련되는 데 권위를 상징하는 왕관 외에도 옥좌의 문향이 쌍 사자이며, 옥자 양쪽에 돌출된 형상이 사자이기 때문이다.

왕이나 여왕 완즈가 사람을 다루는 특성은 카리스마이며 능력 있는 상사나 오너이다. 매사 도전적이고 당당하며 열정적 통찰력을 가진 경험 많은 사람 이다. 따라서 주변에서 능력을 인정해주는 슈퍼우먼이다. 그러나 화가 나면 자기 성질을 이기지 못하고 욱하며, 상대방에 대해서 신뢰가 무너지면 의심 이나 변덕이 심하여 쉽게 화해하기가 어렵다.

Queen of Wands (여왕 완즈)

[긍정적 측면]

1. 매우 활동적이고 열정적인 여성. 여장부 기질

2. 전문직 여성

3. 열정적이지만 의심이 있는 여성

4. 전문가답고 신뢰할만한

5. 친절하고 상냥하고 붙임성이 있다.

6. 금전 능력이 좋다.

7. 애완견을 키우는 여자

8. 성욕이 강하다.

Queen of Wands (여왕 완즈)

[부정적 측면]

1. 의부증이나 의처증이 상당히 심한, 집착, 근심. 애정 불안

2. 오만. 편견. 다툼. 질투

3. 사기. 거짓

4. 뒤끝이 있다.

5. 가까이에 있는 이성을 외면한다.

6. 변덕이 심하다.

7. 꼴 보기 싫은 남편이 있다.

8. 비밀스러운 음흉함이 있다.

King of Wands (왕 완즈)

안정적이고 근엄하며 자상함이 지나쳐 오해할 수도 있다. 활동적이며 경제적 도움을 줄 수가 있고 언제나 원하는 사랑을 해줄 수 있는 남자이다. 나이는 주로 중년이 넘어가는 경우이며, 믿음직스럽고 한 가장의 아버지이며, 보수적이다.

완즈 지팡이는 프로젝트의 개념으로 전반적으로 완즈의 카드는 크게는 경영 작게는 일과 관련된다. 그러므로 사회적으로는 지휘 통솔력이 있는 한 기업의 팀장급 이상, 또는 본인이 사장이거나 전문 직종에서 상당한 능력을 발휘한다.

왕 완즈는 지배받고 명령받는 것을 싫어하고 누구 밑에 일하는 것을 좋아하지 않는다. 열정과 통찰력이 있으며 단호하고 결단력과 자신감에 차 있어 스케일이 크다. 그러나 겉으로는 태연하나 카드 속의 인물의 밖으로 살피는 시선과 왼쪽 발밑의 도마뱀의 의미는 두려움. 불안. 갈등이기 때문에 내심 초조하다.

따라서 부정적으로 나오면 독선과 독단으로 엄격하고 또한 의심이 많아 의처증이나 불안감에 쌓여 애정에 문제가 생긴다. 이런 성향은 메이저 카드 중에 황제 카드와 비슷하다. 궁정(인물) 카드 4장의 나이를 보면 왕과 여왕이 동급의 나이며 그래도 왕이 조금 더 나이가 많고 다음이 기사로 주로 30대 정도 또는 20대 중후반이고 소년 카드가 20대 초반이거나 10대 후반을 의미한다.

그러나 이것은 일반적인 개념이고 갓 20살이 되어도 학생 신분이 아닌 직장생활을 한다면 기사 카드로 볼 수 있고 20대 후반이라도 아직 학생 신분이라면 소년 카드로 간주한다.

애정운에서 황제 카드나 왕과 관련된 카드는 사사롭지 않고 공적인 것이다 라는 뜻도 갖고 있다. 장소로 말하면 공적 장소이기도 하다. 공적장소는 누구나 인지할 수 있는 공공장소이다.

완즈 왕은 공공장소에서 연애를 한다는 것이다. 한쪽으로는 학생들에게 있어서 학교를 뜻하므로 왕은 학교라는 공적 장소를 암시하기도 한다. 그리고 왕과 여왕은 부모님을 뜻하기도 하는데 애정운이 결혼 운에서 부정적으로 나오면 부모님이 반대하는 경우가 많다.

능력은 있는데 비현실적이며 돈보다는 명예 쪽이 강하여 행정공무원. 대학교수 등이 적성에 맞다. 왕 완즈는 지시를 내리는 자이고 강압적이고 어떤 계획을 쉽게 바뀌지 않는다. 고집이 세고 고지식하며 정직하다. 그러나 강한 의지와 카리스마가 있고 화술과 섹시함이 있어 매력적으로 느끼고 정력도 강하다.

이런 완즈 왕도 부정적인 경우는 독선과 오만이 강하고 여성편력이 심한 바람둥이가 되거나 의심이 많아 의처증인 경우도 많다.

King of Wands (왕 완즈)

[긍정적 측면]

1. 생활력 강하고 성실하고 열정적이다.

2. 카리스마. 리더십. 강한 지도력

3. 끝맺음을 잘한다. 뒤끝이 없다.

4. 창의력과 통찰력이 뛰어나다.

5. 전통을 중시하지만 새로운 사상에도 유연하게 적응한다.

6. 주도권을 단단히 쥔 남성

7. 중대한 결정을 내려야 한다.

8. 큰 비전을 제시한다.

9. 도전 정신. 대의명분. 명예 중시

King of Wands (왕 완즈)

[부정적 측면]

1. 권위만 내세우고 지휘 통솔력이 없는

2. 독선. 독단. 오만. 편견이 심하다.

3. 초조. 불안. 의심이 많아 불평이 많다. 의처증

4. 가혹할 정도로 엄하다.

5. 잡념과 번뇌가 많다.

6. 지나치게 정력과 성욕이 강하다.

7. 지나치게 일을 많이 한다. 일중독자

8. 결정을 내리지 못하고 망설인다.

☞ 보충 설명

완즈(Wands)의 성향

* 행동. 행동파

* 욱하는 것 잘하나 잘 풀린다.

* 말보다는 주먹이 먼저 간다.

* 몸이 다부진. 표준체형

* 노력을 해서 그 일이 성사된다.

* 보통 사람들의 인생(재력.권력이 약하다). 평범한 사람

* 4개의 원소중 가장 힘이 약하다.

완즈: 남성적, 열정적, 행동, 창의력, 불의 성향, 뒤끝없다,

실수 多. 봄, 검은 피부, 동쪽

- 마이너 카드 직업 -

완즈	바로 바로 결과를 보여주고 명예쪽으로 좋은 일이 생긴다. 직장, 취업으로 긍정
컵	나 자신이 만족한다. 회사 생활에 대한 답
스워드	직장내에서 불화, 다툼 나의 경쟁자 상징 회사 다니는 것이 재미가 없다. 살벌하게 일한다. 거친 환경(사람)에서 일을 한다.
펜타클	돈 때문에 일한다. 안정적 수입, 돈 잘번다. 연봉 협상에서 우위

- 마이너 카드 일년신수 -

완즈	직업적인 문제, 시험, 창업, 능력과 관련된
컵	연애문제, 정신적인 방향
스워드	소송, 힘들게 하는 사람들 몸을 다치는 일, 사고
펜타클	돈 문제. 내 안정된 생활과 관련

Ace Cups (에이스 컵)

구름 속에서 나타난 손에는 컵이 들려 있다. 이 카드가 감정을 다스리는 물의 요소와 관련되어 있음을 나타내는 것이다. 감정 에너지의 가장 순수한 면을 이 카드에서 발견할 수 있다. 대인관계의 새로운 시작, 결혼, 화합 등을 나타낸다. 따라서 새로운 시작이 좋다. 비둘기는 가정을 뜻하고 컵 안에 비둘기가 들어가는 것은 임신을 뜻하기도 한다.

에이스 카드들은 한결같이 손재주가 좋다고 평가받는데 그것은 손만 나와 있기 때문이다. 다 같은 손재주라도 에이스 완즈의 경우는 전문기술직이고 이 감성이 풍부한 에이스 컵은 예체능 방면에 소질이 있다고 평가를 받고 있다. 따라서 에이스 컵 카드가 나오면 학생인 경우는 대부분 예체능에 소질이 있고, 연기나 음악. 무용. 미술 등 예술적인 재능이 뛰어나다.

결혼을 앞둔 연인관계라면 현재 서로 깊은 관계이고 임신을 하여 속도위반을 하여 결혼을 약속하는 경우이다. 만약 솔로가 이 카드를 뽑았다면 가까운 장래에 운명적인 인연을 만난다고 할 것이다. 하지만 애정운에서 이 카드가 부정적으로 나오면 애인과 깨진 것을 의미하거나 깨질 것을 의미한다.

마찬가지로 솔로가 이 카드가 부정적으로 나온다면 잘못된 만남이 있게 된다는 뜻으로 만나게 되면 많은 마음의 상처를 받게 된다. 그리고 부부 애정운에서 이 카드가 부정적으로 나오면 불임 또는 유산이 된다는 것이다.

사업 운에서 이 카드가 부정적으로 나오면 그동안의 수고가 거의 다 물거품이 된다는 뜻을 의미한다. 따라서 에이스 컵의 정. 역방향보다는 주변 전후 카드를 보고 긍정과 부정적인 측면으로 해석해야 한다.

필자는 실전 상담에서 에이스 컵 카드가 역방향으로 나와도 긍정적인 측면도 있었고, 정방향으로도 나와도 결과는 부정적인 측면이 나온 경우도 많았다. 따라서 지금까지 타로 책에 언급 된 정. 역방향 해석을 무시하고 주변 전후 관계의 카드에 따라 카드 방향과 관계없이 긍정, 부정적인 측면으로 해석한다.

컵 에이스는 다정다감하고 성격이 좋아 대인관계에서 좋고 또한 새로운 사람과의 인연이 시작된다. 애정적으로는 첫눈에 반하여 서로 깊은 사랑에 빠지고 연애에서 결혼까지 이어갈 수 있다.

컵의 속성은 인간의 마음인 감성을 나타내기 때문에 주로 연애 문제나 대인 관계를 주로 표현한다. 에이스 컵이 부정적인 경우로 나온다면 마음의 문이 닫혀 대인관계나 연인 사이가 단절되어 이별하거나 너무 힘든 불안정한 마음 상태가 된다.

Ace Cups (에이스 컵)

[긍정적 측면]

1. 사랑이나 대인관계의 새로운 시작

2. 기쁨과 풍요

3, 예체능에 소질이 있다. 감수성풍부

4. 성격이 좋다.

5. 결혼. 임신, 출산(딸). 다산

6. 풍요. 축복. 행복. 기쁨. 만족

7. 순수. 자비. 사랑의 힘. 용서. 화합

8. 치유력. 생명력. 병의 회복. 약병

8. 때로는 술한잔이 도움이 된다.

9. 강한 끌림(연인. 악마)

Ace Cups (에이스 컵)

[부정적 측면]

1. 순수하지 못한 만남

2. 거짓된 마음. 고갈된 감성

3. 관계단절. 대인기피증

4. 사랑이 식었다.

5. 행복을 외면하다.

6. 불안정. 불만. 사기

7. 술을 마시지 말라.

8. 약이 효과가 없다.

- 마이너 카드 재물 -

완즈	월급쟁이, 일정한 수입 하급 공무원 수준 대박 아니고, 평범, 조용조용 산다.
컵	동업, 어느 정도이면 만족한다. 조금 벌어도 만족한다.
스워드	사기 당한다. 동업은 깨지고 뒤통수 맞는다. 돈이 끝없이 샌다. 돈버는데 장애가 있다.
펜타클	대박. 재물이 강하다 복권, 보물, 투자, 투기(부동산)

2 Cups (컵)

남녀가 컵을 교환하고 있다. 남자가 먼저 프러포즈하는 모습이고, 컵은 사랑을 나타낸다. 상대방에 대해서 좋은 느낌이 있는 상태이고, 어떤 관계의 시작을 말한다. 연인관계라면 프러포즈나 청혼을 나타낸다. 따라서 연애가 시작되거나 결혼을 약속하는 서로 깊은 관계로 발전할 수 있다.

직장인이라면 동료와 좋은 파트너가 될 수 있으며 어떤 계약을 체결하는 경우이기도 하다. 아니면 동업자를 만나 투잡을 할 수도 있다. 사업가라면 좋은 계약체결로 인하여 사업을 진행할 수 있다.

2컵으로 개인의 성향을 본다면 상대방과 교감할 수 있는 성격으로 마음이

착하고 서로 협동하고 협력하는 관계로 대인관계가 좋다. 심지어는 남녀관계가 직장동료나 친구 관계에서 연인의 감정으로 발전하여 서로 사랑이 시작될 수 있다.

2 컵은 지금까지 두 사람의 관계나 일들이 갈등이 있었다면 이제부터 서로 갈등이 해소되고 화합하고 협력하는 좋은 관계로 발전한다. 만약 이 카드가 부정적인 측면으로 나온다면 애정운에서 서로의 사랑이 금이 가서 이별이나 이혼을 뜻하는 것으로 여겨지며, 사업 운에서도 계약이 취소되거나 동업 관계가 깨지게 된다.

건강 운을 볼 때 이 카드가 나오면 현재 질병이 있는 경우라면 병이 치유될 수 있는 반가운 카드이다.

2 컵은 가정적으로는 결혼과 약혼의 카드이고 사회적으로는 동업과 협력이나 우정의 관계로 좋은 인연을 이어 나가는 카드이다. 따라서 이 카드가 나오면 혼자의 힘보다는 어떤 상대와 주고받는 관계를 맺어서 서로 협력해야 결과가 좋다.

2 Cups (컵)

[긍정적 측면]

1. 실제 연인관계로 시작된다.
2, 생각과 행동이 일치한다.
3. 청혼. 결혼. 약혼. 프러포즈
4. 동업. 협력관계
5. 계약체결. 거래 성사
6. 남자가 프러포즈
7. 좋은 파트너
8. 상당히 깊은 관계
9. 진실한 우정
10. 기존 관계 화해

2 Cups (컵)

[부정적 측면]

1. 협력관계나 동업 관계가 깨진다.
2. 거짓된 사랑과 우정. 동업. 협력
3. 이혼. 이별
4. 겉으로는 연인이지만 속으로는 남이다.
5. 생각과 행동이 일치하지 않는다.
6. 사랑이 이루어지지 않는다.
7. 좌절. 붕괴. 중지. 부조화
8. 서로 협력하라
9. 일방적인 대화
10. 체약체결이 안 됨

3. Cups (컵)

세 명이 즐거운 파티를 벌이고 있다. 발밑에는 과일과 꽃이 풍부하다. 이 카드는 약혼, 결혼, 행복, 계약체결, 타협, 상처의 치유 등을 나타낸다. 서로 다른 사람들이 힘을 합쳐서 뭔가 이루어내고 서로 조화를 이루어 어려움을 극복한다. 그래서 서로 축배를 들고 있고 행복한 시간을 보내고 있다.

숫자 3은 초기 단계의 완성을 의미하니 충분히 즐길 필요가 있지만 만족감에 마냥 빠져 있어서는 안 된다. 아직은 할 일이 많이 기다리고 있기 때문이다. 축하할 일이 있거나 받을 일이 있고 사업, 연애, 결혼이 좋다.

이 카드는 긍정 속에 부정의 의미가 있다. 이유는 술 마시는 축배이기 때문이며, 술이란 마시다 보면 모자라는 때는 없고 항상 넘치기 마련이다. 따라서 지나친 주색이나 탐욕과 쾌락에 빠져 축하와 축배의 좋은 분위기가 완전히 깨지고 동업 관계도 깨지며. 사업의 진행도 차질이 생긴다. 여기에 전후 카드에 8컵이나 탑 등 별로 좋지 않은 카드가 함께 나온다면 확실하게 무너지게 된다.

애정운에 있어서 이 카드가 나오면 남들에게 축하받을 일이 생기고 굉장히 좋은 카드이다. 또한 소개팅이나 서로 알고 지내는 지인들과의 술자리에서 좋은 만남이 시작될 수 있다. 사업 운으로는 서로 친한 사람들끼리 동업하거나 주 고객층이 젊은 여자 고객으로 한 마케팅이 필요하다.

물상적으로는 칵테일. 와인. 유흥업. 커피숍. 아이돌 가수를 양성할 수 있는 엔터테인먼트 등이 있다. 그러나 두 사람의 좋은 만남을 누군가가 개입하여 방해하거나 삼각관계가 있어 바람둥이를 만나거나 지나친 음주·가무로 연인 관계가 문제가 될 수 있는 부정적인 의미가 있다. 그렇다고 이 카드를 항상 부정적으로만 해석해서는 안 되고, 항상 타로카드는 전후 관계의 상황을 보고 판단해야 한다.

3. Cups (컵)

[긍정적 측면]

1. 문제의 해결과 만족스런 결과가 나온다.

2. 결혼. 약혼. 계약체결

3. 인간관계를 위한 회식. 접대가 필요하다.

4. 귀인을 만나 일이 해결된다.

5. 잔치. 축제. 파티

6. 남들에게 잘해주고 협동심이 강하다.

7. 노력의 댓가를 얻는다.

8. 몸이 회복되고 병이 치유된다.

9. 축하 받을 일이 곧 생긴다.

3. Cups (컵)

[부정적 측면]

1. 지나친 쾌락, 지나친 음주

2. 기쁨이 고통으로 변하다.

3. 알콜중독

4. 삼각관계, 양다리

5. 즐겁지 않는 회식자리

6. 방해하는 적이 있다. 흑심이 있는 사람

7. 친구들과 어울리고 싶은데 그렇지 못한 상태이다.

8. 우정이 깨지고 협력이 깨짐

9. 사치가 과다하다.

4. Cups (컵)

젊은이가 앞에 있는 3개의 컵을 불만스럽게 바라보고 있다. 구름 속에서 나타난 새로운 컵도 역시 무시하고 있다. 그는 현재의 자신에 대하여 지루해하고 불만스러워한다. 권태기, 움직일 수 없는 상황이며 주어줘도 안 한다. 못하는 것이 아니라 하기 싫어 안 하는 것이고, 관심이 없고 재미도 없다.

모든 게 침체하여 있고, 슬럼프나 권태기에 빠져 모든 것을 체념하고, 포기하는 마치 은둔형 외톨이처럼 세상과 단절을 하여 움직이지 않는 무기력한 모습이다.

3개의 컵은 과거의 실패나 이별로 인한 마음의 상처로 인하여 새로운 인연이나 기회 또는 만남을 무관심해 하고 쳐다보지 않고 상대방이 관심을 가져도 본인은 받아들이지 않고 거절한다.

그것은 애정운에 있어서는 새로운 인연을 거들떠보지도 않는 것인데, 이것은 과거에 있었던 사랑하는 연인과 헤어진 후 그 연인에 대한 그리움 때문에 새로운 인연에 대한 무관심이라 할 수도 있다.

사업운에 이러한 카드가 나오면 다른 사람이 사업적인 제안이 들어와도 받아들이지 못하고 만족하지 못한다. 모든 게 결과가 없고, 정체되어 있으니 지금은 잠시 쉬어야 하는 상태이다.

그런데 애정운에 있어서 현재 연인과 사이가 좋다고 한다면 최근에 새로운 이성에게 대쉬 받았지만 거절했다는 긍정적인 의미도 있기 때문에 상황을 보고 판단을 잘해야 한다.

이성에 전혀 관심이 없는 사람이 즉, 4컵이 고위 여사제 카드와 조합을 이루어 나왔다면 정말로 독신주의자 성향이 강하다고 볼 수 있다. 직장에서 상사나 직장동료와의 대인관계가 힘들고 업무로 인한 직장 분위기에 적응하지 못하거나 밖에 나가 일할 생각이 없는 성향이라면, 이 4컵이 재택근무나 프리랜서 업무 등에 잘 어울린다.

---

4. Cups (컵)
[긍정적 측면]

1. 지나간 인연에게 여전히 마음이 가 있다.

2. 슬럼프에서 벗어나야 한다.

3. 스스로 움직여 행동해야 한다.

4. 새로운 사람 만나라 혹은 만나지 마라.

5. 기존의 멤버들 속에서 새로운 멤버를 반기지 않는   다.

6. 익명자의 도움이나 원조가 있다.

7. 얽매이지 않고 느긋한 자세. 초연

8. 명상

9. 재택근무

---

4. Cups (컵)
[부정적 측면]

1. 낙담. 실망, 체념. 싫증. 권태. 포기. 무관심. 무기력

2. 대인기피증. 자폐증

3. 무기력한 삶

4. 과거에 집착하여 새로운 인연에 취하지 않는다.

5. 탐탁치 않는 제안. 불만족

6. 인생의 침체기. 슬럼프

7. 히키코모리. 은둔형 외톨이

8. 새로운 목표나 야망이 없다.

9. 새로운 관계를 거부한다.

5. Cups (컵)

자신의 앞에 있는 엎어진 컵을 바라보면서 슬퍼하고 있다. 이것은 자신의 행동에 대한 후회를 나타낸다. 뒤에 있는 2개의 컵은 아직 온전함에도 불구하고 전혀 관심이 없는 듯하다. 상실감으로 새로운 출발의 의지가 없다.

5 컵을 해석하는데 두가지 측면으로 해석할 수 있다. 뒤에 있는 2개의 컵이 아직 살아있으니 현재 처해진 상황을 포기하지 말고 다시 새 출발을 하라는 메시지이고 또 다른 하나는 2개의 컵에 대한 미련 때문에 현재 처해진 상황을 포기하지 못한 망설임때문에 새로운 출발을 못하는 메시지이다. 이런 해석은 내담자의 상황에 맞추어 통변을 잘해야 한다.

투자하여 많은 재산을 손실하였고, 다행히 일부(쓰러지지 않은 컵) 재산이 남아있을 때 자신의 잘못된 판단으로 손실을 본것을 후회하며 망연자실 하고 있는 모습의 카드이며, 검은색을 입고 있는 모습은 죽음을 연상케 하는 비탄에 빠져 강가 앞에서 삶을 포기하고 싶은 심정이다.

애정운에서 이런 카드가 나오면 끝내야 하는데 내려놓지 못한 힘든 사랑을 할 때 많이 나온다. 힘들게 이별을 한 후에도 헤어진 사람에게 미련이 있어 새로운 사람을 못 받아준다. 결혼한 부부사이라면 자식 때문에 어쩔 수 없이 살아가는 커플일 수도 있고, 여러번 결혼에 실패하여 다시 홀로서기에 대한 두려움일 수도 있다.

긍정적인 경우 과거에 대한 후회 보다는 앞으로의 일들이 중요함을 알고 심기일전하여 다시 새롭게 나아가는 희망이 있는 카드이다 라고 할 수 있다. 이것은 그 동안 잃어버린 것에 대한 미련과 자책보다는 더 이상 과거를 생각지 않고 털어버리는 것을 의미하니 다시 시작해야 한다고 조언해야 한다.

5. Cups (컵)

[긍정적 측면]

1. 희망적인 전망

2. 부분적 상실로 아직 희망이 있다.

3. 재회. 재결합. 재혼. 홀로서기

4. 회복. 복구. 화해할 수 있는 가능성이 있다.

5. 아직 기회는 남아 있다.

6. 지난 것을 잊어야 새로운 사랑을 받아들일 수가 있다.

5. Cups (컵)

[부정적 측면]

1. 실망. 자책. 후회. 상심. 배신. 비탄. 실연

2. 이혼. 실직. 재혼실패

3. 각방부부. 무늬만 부부. 사랑없는 결혼

4. 건강운: 죽음

5. 집착. 다툼

6. 진정성 없는 우정이나 결혼

7. 새로운 출발을 하지 못하고 망설인다.

8. 상심에서 벗어나지 못하고 있다.

6. Cups (컵)

집과 마을은 가정과 어린 시절의 추억을 나타내고, 6개의 컵은 오래된 친구, 혹은 아는 사람과의 만남을 의미한다. 과거의 친구나 연인을 다시 만날 수도 있다는 혹은 과거의 노력이 보상될 것이라는 암시를 나타낸다.

애들이라 미성숙하고 과거로 회상하는 추억을 의미한다. 6 컵의 성향은 어린아이들처럼 꿈이 많고 순수하고 착하다. 작은 축하의 뜻하고 크게 되지는 않는다. 즉, 작은 만족을 의미한다. 헤어진 사람을 다시 만나며 옛날에 했던 것을 다시 시작한다.

6 컵은 이루는 것이 크지 않는다. 또는 지나치게 과거에 집착하고 있음을

나타내기도 하지만 과거에 했던 일을 다시 할 수밖에 없는 상황이 되기도 한다.

과거 어린시절 친구가 애인 될 수 있으니 과거 옛 애인과 재회를 하거나 과거 짝사랑했던 친구와 사귀게 된다든가 프로포즈. 청혼. 소개팅 등이 이루어질 때 이 카드가 잘 나온다.

사업운에 있어서는 과거의 거래처 또는 과거에 알았던 동업자 등과 다시 인연이 닿아서 사업을 추진하게 되는 경우이며, 또는 과거의 노력이 보상으로 나타나기도 하며, 중단되었던 사업이 재개되는 경우이다.

직장에서는 승진 가능성도 있다. 직업으로는 유치원, 초등학교 교사나 어린 아이와 관련된 업종에 종사할 수 있다. 과거에 시련과 위기를 겪은 후 현재 편안한 마음으로 바뀌는 전환하는 시기이다.

순수한 마음으로 새로운 우정을 시작하거나 연애를 시작하는 것이다. 따라서 마음의 문을 열고 화해를 하거나 타인에게 무언가를 제공하는 것이다.

6 컵이 부정적인 경우는 과거와의 인연에 집착하거나 부담되는 제안에 강요된 만남이나 자기주도적 학습이 아닌 주입식교육의 부담된 학습을 제공하는 것으로 나타난다.

6. Cups (컵)

[긍정적 측면]

1. 과거에 대한 반성. 화해. 회상. 추억. 순수한 시절

2. 오래되고 순수한 친구

3. 과거가 긍정적인 영향을 준다.

4. 순수한 마음으로 교육전수

5. 소개팅. 청혼. 프로포즈

6. 긍정적인 전환점

7. 과거의 노력이 보상이 된다.

8. 새로운 우정. 지식. 교육

6. Cups (컵)

[부정적 측면]

1. 과거에 집착

2. 부담된 제안

3. 과거를 끊고 새출발을 해야 한다.

4. 강요적인 주입식 교육

5. 이해타산적이고 계산적이다.

6. 손아랫사람을 돌보지 않는다.

7. 친절. 자비를 베풀지 않는다.

8. 행복한 시절이 끝나고 어려운 국면으로 돌아간다.

9. 과거 오랫동안 했던일을 중단한다.

7. Cups (컵)

사람 앞에 갖가지 신기한 모습이 펼쳐지는 모습이다. 성(城), 보석, 화환, 뱀 등등. 도대체 무엇을 선택해야 할지 모를 정도이다. 올바른 선택을 하기 위해서는 많은 생각과 주의가 필요하다. 패물. 장식물은 환상. 망상을 나타내고, 뱀은 지혜. 욕망. 불륜을 의미한다.

이 카드는 실체가 없는 착각속의 성공의 망상이나 구름위의 환상, 공상, 헛된 생각 등을 나타낸다. 자기가 원하는 바를 잘 모르고 현실감각이 없다. 이 생각, 저 생각으로 꿈만 많고 생각이 많으니 불면증에 시달린다. 현실과 환상을 구별할 수 있는 올바른 판단력이 요구된다.

원하는 만큼 잘 안되니 현상 유지로 만족해야 한다. 따라서 무리하게 확장을 하기 위해 새롭게 바꾸면 안된다. 물상적으로 보면 밤에 늦게까지 돌아다니고 음주 가무에 빠진다.

7 컵은 혼란과 망설임이고, 이러지도 저러지도 못한 상황이니 장기간 이런 분위기가 계속되면 힘들어진다. 애정운에서 이런 카드가 나오면 솔로인 경우는 짝사랑이나 상상 연애를 하거나, 커플인 경우라면 자주 만나지 못하여 즉, 군대. 유학. 장거리 연애 등으로 실질적 데이트 못하는 경우이다.

공부하는 학생이나 수험생이라면 밤낮이 바뀌고 생각이 많아 공부에 집중을 할 수 없다. 직장인인 경우는 업무에 대한 스트레스와 고민이 많아 성과가 부족하다.

7 컵의 물상대체의 직업을 본다면 카페, 인테리어, 미술학원, 메이크업, 미용, 판타지 작가 등이다. 취업운에서 이러한 카드가 나오면 여러 회사에 대한 기회가 주어지나 그 선택이 만만치 않다.

또한 이 카드의 속성은 잘못 선택하면 반드시 후회한다는 것이다. 직장운의 경우에도 무엇인가 중요한 것을 판단해야 할 기회가 주어지고 그 판단이 어려우며, 전적으로 자신에게 책임이 주어지는 경우 이러지도 저러지도 못하는 경우라 할 것이다. 사업운도 마찬가지이다.

7. Cups (컵)

[긍정적 측면]

1. 상상력이 풍부하다.

2. 무한한 가능성이 있다.

3. 많은 것 중에서 한 가지만 선택해야 한다.

4. 꿈이 현실화가 된다.

5. 꿈에서 깨어나 현명한 판단으로 선택해야 한다.

6. 올바른 선택과 실천력이 요구된다.

7. 다양한 욕구와 꿈 중에서 어느 하나를 선택해서 현실화한다.

7. Cups (컵)

[부정적 측면]

1. 혼란과 망설임. 선택의 어려움

2. 헛된 망상. 환상. 허황된 꿈

3. 그림의 떡

4. 너무 욕심을 낸다. 사치. 탐욕

5. 폭음. 음주 가무에 빠짐

6. 장밋빛 상상 속에 빠져 있다.

7. 잘못된 선택. 실현 가능성이 없다.

8. 막상 해보니 생각했던 것과는 많이 다르다.

9. 상상력이 빈곤

10. 기만과 속임수

8. Cups (컵)

깔끔하게 정돈된 8개의 컵을 멀리한 채, 한 사람이 불모의 산을 향하여 걸어가고 있다. 본인 스스로 지금까지 이루어 놓은 모든것을 포기하고 떠난다. 과거의 업적과 관심을 멀리하고 새로운 것을 추구하는 모습이다. 8 컵은 무엇이든 중단하고 떠나는 것을 의미한다.

애정운의 경우라면 애정이나 결혼을 포기하고 자신이 원하는 의무를 선택하기 위해서 떠나는 모습이다. 애정운에서 학생이라면 아마 현재 연인과 어쩔 수 없이 사랑의 컵을 멀리하고, 현재 이별을 하고 군대나 유학을 가야 하는 상황에 두 남녀가 슬픔에 젖어있는 상황이라고 할 수 있다.

사업 운에서도 성공이 눈앞에 있지만 사업이 중단되는 경우라 할 수 있다. 취업 운의 경우도 어려우며 시험운 전부 다 좋지 못하다. 직장인인 경우도 직장을 잘 다니다가 갑자기 자신의 원하는 삶을 위해 퇴직하는 경우이다. 물론 조금 더 직장생활을 할 수 있지만 아쉽게 회사 사정으로 인하여 본인 스스로 명예퇴직을 해야 할 경우도 해당된다.

또한 사람한데 시달리거나 실망을 하여 현재 이곳을 벗어나기 위해서 떠난다. 현재의 자신의 위치를 다 포기하고 홀로 귀농을 하거나 산속으로 들어가 자연인처럼 살고 싶어 떠나는 사람이거나, 아니면 마음속으로 언젠가는 떠나고 싶은 계획을 가지고 준비를 하고 있다.

이 카드가 건강점에서 나온다면 병원에 가서 진료 받고 입원하라는 권유가 될 수 있고, 아니면 큰 병에 걸려 모든 것을 내려 놓아야 하는 시점도 될 수 있으며, 현재 중환자라면 이제 생이 얼마 안되어 가족 곁을 떠나 마무리 해야 하는 모습일 수도 있다.

자신의 꿈을 실현하기 위해서 비교적 안정적인 생활을 포기하고 외국으로 멀리 떠나 외롭고 험난한 길을 선택하여 한동안 가족이나 주변 사람들을 떠나 있어야 하는 모습을 우울한 달빛 속에서 그 얼굴 표정을 알 수 있다.

8. Cups (컵)
[긍정적 측면]

1. 보다 큰 것을 위해 포기한다.

2. 박수칠 때 떠나라. 떠날 때가 되었다.

3. 잠시 칩거에 들어간다. 자연인. 입산수도

4. 기존환경에서 떠난다.

5. 군입대. 유학

6. 포기하지 말고 성공할 때 까지 노력해야 한다.
   악전고투

7. 정년퇴직

8. 완전 다른 길을 간다.

9. 성공이 눈앞에 있지만 돌아선다.

8. Cups (컵)
[부정적 측면]

1. 자포자기. 노력의 중단

2. 파혼. 이별

3. 감정이 메마르다.

4. 건강상실. 입원. 중병

5. 사람들이 싫어서 떠난다.

6. 친구. 연인을 떠나고 싶다.

7. 우울한 칩거

8. 치과치료(컵). 관절치료(지팡이). 유방.폐병(두개의
   산)

9. 죽써서 개준다.

9. Cups (컵)

팔짱을 끼고 만족스러운 표정을 짓고 있는 한 사람이 아치 모양의 컵들 앞에 서 조그만한 나무 의자에 앉아 있다. 나무 의자는 큰 권력은 없다. 앉아 있는 모습은 여유가 있어 하는 일이나 연애운은 좋다.

컵 아래에 있는 파란색 천은 힘든 고생을 했고, 컵은 물질적 이득을 성취하여 결국 만족스런 모습을 하고 있다. 실전에서 이 카드가 나오면 분명 능력이 있고 잘난 사람인데 뭔가 2% 부족한 느낌을 받는다.

본인 스스로 여유로워 보이지만 내심 만족하지 못하고 욕심이 크다는 것을 알 수 있다. 이 사람보다 능력이 부족한 사람들이 보기에는 거만한 부자로 보일 수 있다.

9 컵의 긍정적인 측면에서는 욕구의 완성을 뜻하며, 감정적, 물질적인 행복을 나타내고 있다. 건강도 좋아지고 어려운 문제도 극복되어 소망이 실현되는 좋은 카드이다. 사업운에서는 자본금이 풍부한 정도의 해석이 가능하고 상황도 무척 좋다.

또한 음식솜씨가 좋아 요식업에 종사하고 스스로 자수성가를 하여 사업가의 자질이 뛰어나며 예술적 재능이 뛰어나 연예인이 되거나 아니면 유흥업종에도 종사할 수 있다.

애정운이라면 여자들에게 원하는 것을 다해주어 여자들에게 인기가 좋다. 스킨십을 좋아하고 바람기가 많다. 그러나 상대를 만족시켜줄 수 있는 정력이 강한 것은 아니지만 여기에 악마카드가 함께 나온다면 성욕이 강하고 정력도 세다고 할 수 있다. 물론 연애 상황은 무척 순조롭게 잘나가는 상황을 말한다. 감성적으로는 풍부해서 상대를 넉넉히 감싸 안을 줄 안다고 할 것이다.

9 컵의 부정적인 측면에서는 지나친 자신감으로 거만하고 나르시즘에 빠져 왕자병이 있고 이해타산적인 사랑을 선택하여 서로 신뢰성에 문제가 생긴다. 그리고 일이나 애정에 있어서 욕심이 너무 많아 일을 너무 벌려 불법을 저지르거나 바람을 많이 피우고 심지어는 금전거래도 안 좋아 사기꾼 소리를 듣는다.

9. Cups (컵)
[긍정적 측면]

1. 자수성가. 성취. 만족

2. 물질적 풍요. 목표완성

3. 술 좋아하는 남성

4. 즐거운 파티

5. 감성적이고 나이 많은 남성

6. 욕심을 버리고 하나만 선택해야 한다.

7. 골동품상인. 연극. 영화배우. 의료상인. 큐레이터. 예술품수집가. 유흥업

8. 대인관계가 좋다.

9. Cups (컵)
[부정적 측면]

1. 거만한 부자. 자기도취

2. 잘못된 신뢰

3. 잘못된 인연으로 손실을 본다.

4. 과식. 과음

5. 불법을 저지른다. 사기꾼

6. 권력은 없다.

7. 퇴폐업종. 도박사

8. 이해타산적. 바람둥이

9. 감성만 많고 나이 든 남자

10. cups (컵)

한 쌍의 남녀가 그들 앞에 떠 있는 무지개빛 사랑을 보며 감사의 뜻으로 팔을 벌리고 서 있다. 이 무지개 컵은 보장된 미래의 결과가 좋다는 것이며, 춤추는 아이들과 행복한 가정의 상징이다. 숫자 10은 끝맺음. 완성을 의미하여 지금까지 생각했던 꿈이 이루어진다.

따라서 이 카드가 나오면 일단 성공과 행복 또는 축하 할 일 등이 생기는 등 상당히 좋은 의미를 말한다. 사업 운에서 이 카드가 나오면 사업의 결실을 보게 되고, 사업체는 날이 갈수록 발전하고 사업체 분위기도 상당히 좋다는 것을 의미한다. 또한 이러한 결과는 사업체 직원 전체가 한마음으로 일치단결한 결과임을 다들 서로 잘 알고 그 분위기에 동참하고 공감하는 것이다.

애정운에서 이 카드가 나오면 연애가 순조롭고 애정의 결실 즉, 결혼의 분위기가 서로 간에 무르익어가고 있으며, 조만간 결혼하게 되는 것을 의미한다. 또한 집안에 경사가 있거나 누군가 시험에 합격하거나 하는 등 축하할 일이 있으면 이 카드가 나온다.

이 카드는 그 모든 축하 등이 가족이거나 가족적인 또는 그 분위기속에서 이루어진다는 특징을 갖고 있어 행복한 가정을 의미한다. 부정적인 경우는 이 카드가 애정운에서 나오면 결혼까지는 어려우며, 결혼을 앞둔 커플이라면 양가 집안 어른들끼리도 소통이 안되어 결혼 준비가 순탄 하지 않는 경우이다.

사업운을 보는 경우 이 카드가 부정적으로 나오면 사업이 좌절됨으로써 사업체가 충격을 받아 가족적 분위기 소멸되는 즉, 부도 위기까지 가능 경우이다. 물론 그 충격의 정도는 여러 카드를 보고 결정할 일이라 할 것이다.

사업운이나 애정운 외 이 카드가 긍정으로 나오면 좋은 가정을 갖고 있는 경우이며, 부정으로 나오면 그 가정에 문제가 있는 경우라 할 것이다.

---

10. cups (컵)

[긍정적 측면]

1. 성공, 성취, 만족감, 화목, 행복

2. 가족의 만족

3. 행복한 가정

4. 가정을 최고로 생각하며 돈을 벌어야 한다.

5. 결혼을 약속한 연애

6. 집안에서 밀어주어야 한다.

7. 술을 마시면서 타협점을 찾아라

8. 약을 장기간 복용해야 한다.

---

10. cups (컵)

[부정적 측면]

1. 가족간의 화해를 해야 한다. (조언)

2. 가족간의 불화

3. 부부싸움. 불화

4. 하고자 하는 일을 집에서 지원을 해주지 않는다.

5. 집으로 돌아가야 한다.

6. 질병, 채무. 골칫거리

7. 우정상실. 의견차이

8. 좋았던 시절을 상기해라(조언)

Page of Cups (소년 컵)

소년이 오른손에 컵을 쥐고 있고, 컵 속에는 물고기가 보이는데 소년은 여기를 응시하고 있다. 소년 뒤에는 출렁거리는 바다가 보이고 있다. 컵은 수용성. 감성. 유연성을 의미한다.

소년은 아직 어려 미숙하지만 감성이 풍부하여 영감이 발달되어 있고 아이디어나 예술적 기질이 풍부하다. 그러나 아직 재능으로 꽃 피우기에는 부족하다. 장난도 잘 치고 연애에 대한 호기심도 많다. 아직은 철부지라 지나친 자기 감정에 빠져 있고 쉽게 상처도 받아 감성이 유약하다.

궁정(인물)카드에서 페이지(소년.시종)는 시작을 의미하지만 초기단계이기 때문에 미숙한 시작이다. 연애나 결혼에 대한 시작일 수도 있고. 갑작스럽게 임신을 할 때도 이 카드가 잘 나온다. 애정운에서 이 카드가 나오면 연하의 남자일 수 있고, 연인에 대한 호기심과 사랑으로 기분 좋은 연애를 잘하지만 경험 미숙으로 지속성이 약하다.

부정적인 경우는 여성에 대한 병적인 집착으로 애정에 대한 욕구가 강하며, 또 다른 면에서는 애정편력이 심하여 바람둥이가 될 가능성이 많다.

이 카드의 인물의 성향은 감수성과 상상력이 풍부하고 다정다감하다. 만약 성실한 학생이라면 열심히 공부하는 소년일 수도 있다. 왜냐하면 소년의 모습은 한 가지를 쳐다보면서 몰두하는 집중력이나 감성을 지녔기 때문이다.

직장에서는 아이디어가 풍부하여 홍보, 마케팅 분야에서 능력을 발휘하거나 예술계통이나 디자인 회사에서 디자이너로서 예술적 재능을 발휘한다.

사업운에 있어서는 장사를 한다면 젊은 층을 대상으로 하는 술을 가미한 음식점 장사가 좋다. 왜냐하면 컵은 술잔을 나타내고, 물고기는 생선 종류로 생선회. 매운탕 등의 메뉴를 의미하기 때문이다. 또 다른 측면에서 본다면 이제 갓 시작한 디자인계통의 사업일 수도 있다.

Page of Cups (소년 컵)

[긍정적 측면]

1. 감수성과 상상력이 풍부하다.

2. 도움을 줄 수 있는 믿음직스러운 사람

3. 좋은 아이디어. 마케팅

4. 성실한 직원. 알바

5. 예술가를 꿈꾸는 사람

6. 임신 가능성이 있다.

7. 신뢰. 충성. 도움. 집중

8. 소식. 뉴스. 메시지

9. 취득. 획득. 어떤 것을 잡는다.

Page of Cups (소년 컵)

[부정적 측면]

1. 상상력을 키워야 한다. (조언)

2. 실패. 손실, 잡는 것을 놓치다.

3. 주색에 빠진다. 알코올중독. 바람둥이

4. 불량 청소년

5. 불성실. 타락

6. 유혹에 쉽게 영향을 받는다.

7. 지나치게 자기 감정에 빠져 있다.

8. 임신하여 낙태시킨다.

9. 즉흥적으로 행동하지 말아야 한다. (조언)

Knight of Cups (기사 컵)

백마를 탄 기사의 모습인데 백마는 여성이나 순수함을 의미한다. 여성들이 보기에는 백마 탄 왕자처럼 보이며, 매력적이고 이상주의자이며 감성이 풍부하여 예술적 성향을 가지고 있다.

기사 컵의 모습을 보면 말을 타고 가는 모습이 빨리 가는 것이 아니라 그저 천천히 가는 것이니 사업 운에 이런 카드가 뜨면 진행이 좀 천천히 된다고 보면 된다.

애정운에 이 카드가 나오면 반드시 남자가 여자에게 프로포즈를 했거나 할 것으로 판단하면 된다. 어떻든 애정운에 있어서 남자의 마음을 가장 확실하게 표현하는 카드이다. 그러나 기사 컵은 인기가 많아 주변에 여자들이 많이 있지만 본인은 자기가 좋아하는 여자만 쳐다 본다.

따라서 자기가 좋아하는 여인에게 프로포즈나 청혼을 할 때 나타나지만 혹은 여자에게 프로포즈를 받을 경우에도 나올 수 있다. 매너가 좋고 일에서는 스카웃 제의가 들어와 가면 좋다. 따라서 기사 컵은 이동, 변동수가 있을 때 나온다. 금전운은 안정적이지만 돈은 많지는 않다.

사업은 앞에서 언급하였듯이 차근차근 진행되어 가고 있다. 또한 어떤 프로젝트를 진행 시키려고 할 때 이것 저것 챙길 것이 많아서 진행이 더디어 질 때 이 카드가 나오기도 한다. 상당히 많은 시일과 기다림이 있게 되는 카드이지만 이 또한 전후카드를 보고 정확하게 판단해야 한다.

이 카드가 애정운에서 부정적으로 나오면 연애를 잘하는 남자라면 거짓된 애정이나 청혼으로 사기를 칠 가능성이 많거나 변덕이 심하여 상대를 너무 힘들게 하는 것이다. 그리고 연애가 서툰 남자라면 이룰 수 없는 사랑으로 우울증에 빠져 힘들어 하는 경우이다.

사업 운에 있어서는 이 카드가 부정적으로 나왔다면 상대를 믿을 수 없으며 믿으면 안 된다는 뜻이기도 하다. 그러므로 상대 회사에 대한 철저한 뒷조사가 없다면 뒤통수 맞는 일이 생긴다.

Knight of Cups (기사 컵)

[긍정적 측면]

1. 매력이 넘치고 인기가 많은 남자. 백마 탄 왕자

2. 청혼. 프로포즈. 제안

3. 매우 감성적인 남자.

현실보다 로맨스를 중시하는 남자

4. 기회가 곧 생긴다.

5. 귀인. 해결을 해 줄수 있는 사람

6. 창의적. 예술적. 낭만적 이상주의자

7. 이동. 변동수

8. 작가. 심리치료사. 예술가

Knight of Cups (기사 컵)

[부정적 측면]

1. 속임수. 교활. 간사. 교묘함. 농간. 사기꾼. 제비

2. 감정적으로 사람을 힘들게 하는

3. 용기가 없어 구애하지 못한다.

4. 변덕이 심한 남자

5. 성격이 예민한 남자

6. 현실적 능력은 없고 낭만은 충만하다.

7. 연애를 못하는 숙맥남

8. 프로포즈. 청혼이 무산

Queen of Cups (여왕 컵)

흰옷을 입은 여왕은 컵을 응시하고 있고 여왕의 표정은 뭔가 깊게 빠져 있는 것으로 보인다. 여왕은 환상과 상상의 세계에 빠져있고 뭔지 모를 듯한 신비스런 태도와 이미지를 가지고 있다.

그런데 컵 카드 중에서 유일하게 여왕 컵은 컵뚜껑이 닫혀져 있어 컵속에 무엇이 들어 있는지 모른다. 그래서 속을 알 수가 없다.

물은 영감을 뜻하고, 의자는 부유함을 나타낸다. 바다는 무의식을 의미하고, 파도의 모양은 많이 구비져 있어 감정에 기복이 심하다고 볼 수 있다.

냉철하지 못하고 현실적으로 약하며, 감정에 치우쳐 있어서 우울하고, 사랑과 애정에 집착할 수 있는 감수성에 예민한 여왕이다. 그렇지만 여왕 컵은 부드럽고 이해심이 깊으며 따뜻하고 베풀고 헌신적인 모성애를 가지고 있다.

애정운에 이 카드가 나오면 헌신적 사랑을 하며, 이성과 헤어져도 자기 혼자 다 감수한다. 그러나 여왕 컵이 부정적인 경우에는 상대에 대한 집착으로 안절부절 못하는 상태로 해석하게 된다. 집착의 상태가 결국은 지나쳐 우울해지고 그리움과 두려움으로 상대를 잊지 못한다.

대부분 이러한 카드가 나오는 여성분은 감수성이 깊고 예민하여 남자가 거기에 맞추어 상대하고 행동해줄 것을 기대하지만 대부분의 남자들은 그렇게 하지 못함으로써 여자가 우울해지는 경향이 있다.

여왕 컵은 자기 감정을 드러내지 않기 때문에 주변 사람들이 잘 이해하기가 힘들 수 있다. 건강 운을 본다면 우울증 증세뿐만 아니라 물의 기운이 많으니 몸이 많이 차고 수족냉증이 있고 자궁질환에도 조심해야 한다.

사업 운에서 여왕 컵 카드가 나온다면 결코 회사의 오너나 간부의 스타일은 못 되는 것으로 여겨진다. 그리고 사업을 준비하거나 하고 있다면 그리 순탄하게 진행되지 못한다고 할 것이고, 어느 정도 시간이 걸리는데 중간에 포기하기 쉽다.

Queen of Cups (여왕 컵)

[긍정적 측면]

1. 매우 착하고 순수한 여성

2. 예술가 기질이 풍부한 여성

3. 주변 사람들을 잘 보는 여성

4. 신비하고 매혹적인 여성

5. 깊은 애정과 관심을 쏟는 여성

6. 헌신하는 아내

7. 부드럽고 애정이 있는 부인

8. 지성과 미모의 여성

9. 결혼을 앞둔 여성

Queen of Cups (여왕 컵)

[부정적 측면]

1. 지나치게 사랑에 집착한다. 맹목적 사랑

2, 남친. 남편. 자식을 지나치게 과잉보호

3. 바르지 못한 사랑에 집요한 여성

4. 고집 세고 완고함

5. 자궁 수술. 디스크. 우울증

6. 정직하지 못하다.

7. 감정 기복이 심하다.

8. 지나치게 친절하다.

9. 내심 불안하다. 의심 증폭

10. 현실과 이상이 괴리로 좌절

11. 파혼. 결과가 안 좋다.

King of Cups (왕 컵)

감성의 지배자인 왕 컵은 영적인 능력이 탁월하다. 물, 파도의 물결은 복잡한 상황. 갈등을 겪고 있어 생각이 많아 감정기복이 심하다. 예술. 시. 그림. 음악에 능력을 발휘하는 예술가적 기질과 친절하고 책임감이 있고 사려가 깊은 성향을 가지고 있다.

왕 컵은 사람들에게 감동을 주는 특별한 능력을 가지고 있고 다양한 분야에 재주가 있어 예술가. 사업가. 과학자. 전문가. 종교인 등의 직업을 가지고 있어 유식하고 머리가 총명하다.

이 카드의 애정운은 연애 왕으로 자상하고 연애관계는 좋지만 바람기가 있어 양다리를 걸칠 수 있으며 술을 좋아하여 음주가무나 알콜중독에 빠질 수 있다. 감정기복이 심하여 우유부단하기도 하고 때로는 제멋대로 감정이 폭발할 수 있다.

결혼을 한 기혼자라면 배우자를 불신하여 의처증이나 의부증을 가질 수 있다. 그러나 긍정적인 의미에서는 자식들에게는 인정 많고 믿음직스런 아버지이다.

사업 운에서 이러한 카드가 나오면 그 사업은 잘 준비되어서 힘 있게 진행되고 있음을 알 수 있다. 직업으로 보면 어느 정도 직급이 있는 사람으로 볼 수 있다.

왕 컵은 물상적으로 컵을 보면 어느 정도 술과 관련된 업종이다. 여왕 컵, 소년 컵, 3 컵. 등인데 어느 정도 음주와 관련 있다.

부정적으로는 주로 "알콜중독"으로 표현되고 있다. 새로운 분위기를 좋아하고 술자리에서 기분 내는 것을 좋아하니 유흥업에 종사하는 이성과 인연을 맺는 경우가 많다.

King of Cups (왕 컵)

[부정적 측면]

1. 지나치게 감정적이다. 제멋대로 행동

2. 불성실한, 도덕적이지 못한

3. 감정 기복이 심하다. 신경 예민

4. 주색잡기에 빠져있다. 알콜중독

5. 우유부단

6. 억눌린 감정의 폭발

7. 의처증. 의부증. 불신

8. 불명예. 불법. 사기

9. 아랫사람에게 베풀어야 한다. (조언)

10. 바람둥이. 양다리

11. 사업 난조

King of Cups (왕 컵)

[긍정적 측면]

1. 책임감. 관대한 태도. 사려 깊은 사람

2. 성공한 예술가

3. 감정을 통제할 줄 아는 사람

4, 협상에 능한 사람

5. 인자한 아버지. 인정 많은 아버지

6. 세심하게 챙겨주는 리더.

7. 카페. 술집 경영자

8. 영적 능력이 탁월하다.

☞ 보충 설명

컵(Cups)의 성향

* 감정을 뜻한다. 변덕

* 화가 나면 잘 풀리지 않는다.

* 삐쩍 골았다.

* 완즈보다 연애문제만 약간 강하다. 나머지는 비슷

* 물을 상징. 영혼문제. 정신적. 감성. 인간의 마음

* 사랑. 우정. 대인관계. 종교. 관용. 공상

컵: 여성적, 감성적, 부드럽고 자상, 포용력, 흰 피부, 남쪽, 여름, 융화가 잘 됨

Ace Swords (에이스 소드)

구름 속에서 나타난 손에 들린 검에는 승리의 상징인 야자나무 잎과 평화의 상징인 올리브나무 가지가 매달려 있고, 또한 성취의 상징인 왕관이 들려 있다.

이 카드는 지성, 투쟁을 의미하는 검(Swords) 카드의 첫 번째로서 위대한 힘을 간직하고 있는 것으로 이 카드는 역경에서 발휘될 힘을 나타낸다. 에이스 소드는 투쟁이나 쟁취를 해서 승리 하는것을 의미한다.

내 노력과 의지와 고집에 의해서 내것을 만드는 시작이다. 누군가와 쟁투를 해서 내 것으로 만들거나 인기 많은 여자를 남들과 경쟁을 해서 내 여자로 만든다. 따라서 에이스 소드는 특성상 경쟁을 하여 쟁취를 하는 것이다. 그만큼 과정은 힘들어도 결국 승리를 한다.

에이스 소드는 명예와 공부쪽은 좋고, 승진을 하거나 합격이나 취업운을 물어보면 "예스" 카드로 잘 되거나 잘 되었음을 의미한다. 그러나 그 과정은 소드의 특성상 "쟁취"의 의미가 많기 때문에 즉 경쟁이 많았음을 의미하기도 한다.

직업은 논리력이 사고가 필요하는 비평가. 기자 등이 어울린다. 사업은 본인이 주도권을 잡고 일해야 하고 치밀하게 투자하고 머리 쓰는 일을 해야 한다.

애정운에서는 이 카드에 해당하는 사람의 경우는 대단히 강한 지성과 파워를 갖고 있으면서, 이를 유효적절하게 사용하여 자신의 목적한 바를 성취한다고 할 것이다. 두 사람의 논리가 심오하고 지성적 사랑을 하니 깊이가 있다.

만약 이 카드가 부정적으로 나오면 스스로를 망치고, 스스로가 그 힘을 제어 못하는 상황과 비슷하게 된다. 칼에 의해서 자신의 손이나 팔에 부상을 입힌다고 보면 된다. 힘을 잘못 다루어 이루려는 목적을 이루지 못하게 된 것이며, 나아가 오히려 자신의 것 조차도 잃어버리는 형상이다.

사업 운에서도 이 카드가 부정적으로 나오면 잘못된 사업계획이나 잘못된 인사정책 등으로 성공할 것으로 여겨졌던 사업에 차질이 생겨서 돌이키기 힘들게 되는 경우이다.

Ace Swords (에이스 소드)

[긍정적 측면]

1. 경쟁에서 승리

2. 노력형, 의지력이 강하다.

3. 문제는 생기지만 극복한다.

4. 승리, 성공, 쟁취, 목표달성

5. 진취적 기상. 굳은 의지. 신념

6. 이성적. 논리적. 지성적

7. 치밀하게 계획한다.

8. 현실을 바로 본다.

9. 맺고 끊음을 확실히 한다.

10. 아이디어. 기획력. 독창력이 뛰어나다.

Ace Swords (에이스 소드)

[부정적 측면]

1. 독선적. 독불장군. 독재적. 에고가 강하다.

2. 아집. 독설. 냉정

3. 불합격, 성적부진, 목표좌절

4. 너무 이것저것 따지지 마라 (조언)

5. 보수적인 아버지

6. 잘못된 주도권과 권력

7. 승리했지만 그 결과가 재난을 일으킨다.

8. 논리적 판단이 필요하다. (조언)

9. 선입견. 편견. 완고

10. 폭정. 횡포

---

2. Swords (소드)

2 소드는 감당할 수 없는 궁지에 몰려 있음을 보여 주는데, 눈이 가림은 내 힘으로 해결이 안 된다는 것을 의미한다. 서로 대립이나 곤란으로 슬픔에 잠겨있는 모습이다.

그러나 다른 한편으로 본다면 눈을 가리고 칼을 교차하는 것은 어느 한쪽으로 치우치지 않는다는 것을 의미한다. 시비거리, 갈등을 자기가 나서지 안하겠다는 것은 공정을 뜻하기도 한다.

커플 애정운에서 이 카드가 나오면 서로 해결하지 못하는 문제를 가지고 사귀고 있다. 갈등과 고민으로 끝을 내지 못하고, 진퇴양난으로 결정을 쉽게 내리지 못한다. 잘못하다가는 양다리 즉 삼각관계에 빠질 수 있다.

그래서 결정을 빨리 내려야 하는 시점이다. 물론 프로포즈를 받았는데 둘 중에 하나를 골라야 되는 경우, 결정이 쉽지 않아 없는 상황일 수도 있다. 사업운 등에 있어서 이러한 카드가 나온다면 별로 달갑지 않은 상태이다.

이 카드는 현실적인 문제를 무시하지 말고, 용기를 가지고 처세해야 한다는 의미로 읽을 수 있다. 눈이 가려져 있어 현재는 휴전상태이고, 판단하기 힘든 불확실한 상황이라 이성적 판단력이 굉장히 요구된다. 이 카드는 여러 가지 상황으로 해석할 수 있다.

본인이 두 가지 대립된 문제들과 고민을 일부러 회피하고 있는 것인지, 아니면 결정을 하지 못하여 스스로 답답한 상황에 처해 있는 것인지, 아니면 아무것도 보지 않으니 과감히 소드 즉 칼을 휘두르겠다는 강한 의지가 담겨져 있는 것인지는 전후 카드를 보고 해석을 유추해야 한다.

2. Swords (소드)

[긍정적 측면]

1. 한쪽으로 치우치지 않는다.

2. 이성적 판단력과 균형 잡힌 힘이 있다.

3. 침묵을 지킨다.

4. 강한 의지력을 가지고 있다.

5. 신중하게 생각하여 결정한다.

6. 공정성. 타협. 화합. 화해

2. Swords (소드)

[부정적 측면]

1. 양자택일. 진퇴양난. 스트레스

2. 주변 상황을 인식 하지 못하는

3. 관계차단과 단절

4, 불확실한 상황

5. 지나치게 경계하는

6. 결정을 내리지 못하는. 우유부단

7. 잘못된 판단. 섣부른 판단

8. 이중성. 사기. 불신. 불명예. 배반

9. 문제회피. 모른체 한다.

3. Swords (소드)

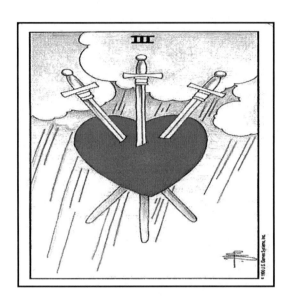

먹구름이 잔뜩 끼여 있고 비가 오는 하늘 위에 빨간 하트가 있다. 그 하트 속을 세 개의 검이 관통하고 있고, 구름은 잡념이나 번뇌를 의미한다.

빨간 하트는 사람의 심장 즉 마음을 의미하고, 마음을 날카로운 검 3개가 관통하고 있으니 충격과 고통이 크다는 것을 알 수 있다.

하트 검 3개 사랑으로 인하여 겪는 육체적, 정신적, 운명적 고통이 따른다. 감정의 격렬함을 통한 갈등과 이탈을 나타낸다. 부정한 사랑에 대한 눈물을 나타내기도 한다.

애정운에서 이러한 카드가 나온다면, 두 사람 사이에 피치 못할 사랑의 상처 가 있었음을 말해주는 것인데, 과거에 사랑했던 사람과 힘들게 헤어진 적이 있다거나, 사랑의 배신, 이별, 이혼 등의 슬픔으로 상처를 받는 것으로 나타난다. 또한 사귄지 얼마 안 되었으나 바로 깨질 때 잘 나오는데 상처가 큰 이유는 벌써 두 사람의 관계가 깊어진 상태이기 때문이다.

대인관계나 연인관계에서도 사람한테 상처를 받아 슬픔과 어려움에 빠질 때도 3 소드가 잘 나온다. 갈등과 배반, 이별을 할 때나 일에서 분쟁, 반대, 지연될 때 자주 나오는 카드인데, 금전으로 인한 지인과의 관계가 깨져 사기를 당하는 경우에도 많이 나타난다.

따라서 소드라는 지성의 힘으로 이러한 상황을 냉정하게 대처하는 자세가 중요하다. 사업운에서도 이 카드가 나왔다면 예기치 못한 파탄으로 사업에 커다란 손실적 충격이 있다는 것을 의미한다.

대개는 이러한 상황의 원인으로는 동료나 부하 직원의 배신, 경쟁업체로 부터의 예기치 못한 반격 등을 그 원인으로 하며, 정보력의 부족, 잘못된 판단 등을 원인으로 하기도 한다. 직장에서도 인간관계로 인한 스트레스나 상처로 인하여 고통이 크다.

이 카드가 긍정적으로 나오면 이별이나 파산. 부도 등의 상처를 딛고 정신적으로 성장을 하여 어려움을 극복하니 상처가 치유될 수 있다.

왜냐하면 숫자 3은 성장과 확장, 최초 초기의 완성의 숫자이기 때문에 어려움에서 벗어나겠다는 생각을 행동으로 옮긴다면 비구름은 멈추고 밝은 태양이 나타나는 희망이 있다.

---

3. Swords (소드)

[긍정적 측면]

1. 정신적으로 성장하여 성숙해진다.

2. 어려움에서 극복한다.

3. 지성의 힘으로 감성을 통제하라.(조언)

4. 상처가 치유되기 시작하는. 화해

5. 새로운 인연이나 사랑의 시작

6. 심리치료사. 로맨스전문 작가

---

3. Swords (소드)

[부정적 측면]

1. 대인관계 파탄

2, 비극이 따르는 사랑

3. 분규 가능성이 크다. 불협화음.

4. 삼각관계

5. 이별. 이혼. 파혼. 별거

6. 불합격. 부도

7. 배신. 상처. 고통. 스트레스

8. 대립투쟁. 돈문제로 가정불화

9. 심장수술

10. 정서적으로 차가워진다.

11. 갈등후의 후유증

12. 혼란. 불안

4. Swords (소드)

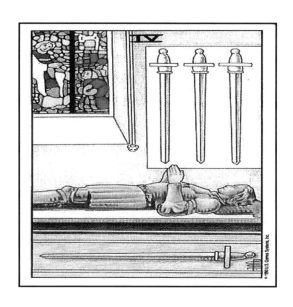

누워서 기도하는 모습은 얼핏 보기에는 대단히 불길해 보이지만, 사실은 그렇지 않다. 4자라는 숫자인 이 카드는 조용한 휴식, 또는 투쟁 후의 안정을 나타낸다. 건강의 회복기, 혹은 질병의 치유기를 암시하기도 한다.

두 손을 모으고 기도하는 형상은 내면을 성찰하고 생각을 정리하고 휴식하면서 재충전을 하는 모습이다. 그러나 다른 측면에서 본다면 4 소드는 현재 움직여서는 안되고, 편안하게 휴식과 명상을 통해서, 자신의 마음과 육체를 점검하면서, 회복하는데 몰두해야 한다.

몸이 아픈 환자라면 입원을 해야 하거나, 아니면 잠시 하던 일을 멈추고, 건강을 회복해야 하는 시기로, 집안에서 잠시 휴식을 취해야 한다. 따라서 4

소드를 무조건 긍정적으로나 아니면 부정적으로 해석하는데 단정 지어서는 안되고, 처해진 상황에 맞추어 적절한 통변을 해야 한다.

4 소드의 성향으로 본다면 소심하고 내성적이라 조용히 홀로 있는 것을 좋아하고 신중하지만 너무 생각이 많아 스트레스를 많이 받는 스타일이라 건강에 유의해야 한다.

애정운에서는 이 카드가 나온다면 두 사람의 관계가 잠시 떨어져 생각할 시간이 필요하다는 것을 알 수 있다. 어쩌면 권태기에 접어들었다고 보아야 할 것이다.

사업을 하고 있다면 확장하는 것은 조심스럽게 진행을 하여야 하고, 새로운 전환점이 될 수 있는 시기이니, 현상유지에 힘써야 한다. 만약 창업을 시작하려는 상태라면, 아직은 창업시기가 아니고 좀 더 시간을 가지고 준비한다면 앞으로 기대할만한 성과가 있다.

직장인이라면 퇴직이나 이직에 대해서 고민을 하고 있다든지, 업무에 시달려 과로가 쌓이니 잠시 직장을 떠나서 현재 휴식을 취하는 모습이거나, 건강검진을 받기 위해 병원에 입원을 하였거나, 요양을 하고 있는 상태이다.

4. Swords (소드)

[긍정적 측면]

1. 휴식, 요양

2. 원기회복

3. 자기반성의 시간이 필요하다. 성찰의 시기

4. 신중함.

5. 아직 일거리는 남아 있다.

6. 생각을 정리

7. 재생. 복구. 재시작

8. 한 가지에만 집중해야 한다.

9. 기다림

10. 집중해야 할 문제의식

4. Swords (소드)

[부정적 측면]

1. 혼자 지냄. 은거

2. 격리. 후퇴. 일시적 중단

3. 정지. 입원

4. 고독함

5. 만나지 못하는 상황

6. 마음이 편치 않는 휴식

7. 너무 오래 쉬지 말라

5. Swords (소드)

한사람이 칼 두 자루를 어깨에 걸치고 한 자루는 땅을 향해 잡고 있다. 두 자루는 땅을 향해 놓여있고 야비한 미소를 보내고 있고, 두 사람이 등을 보이면서 고개를 숙이고 걸어가고 있다.

소드 5 카드를 보면 3인이 등장하는데 이 카드의 주인공인 질문자를 검을 들고 있는 승리자에게 맞출 것인가 아니면 검을 버리고 가는 패배자에게 맞출 것인가 하는 문제이다.

만약 이 카드의 주체가 등 돌린 사람 즉, 패배자라면 거친 구름은 힘들고, 고통스러운 패배를 의미하며, 자신이 너무 초라하고 자책감으로 고개조차 들을 수 없는 상태이다.

승리자라면 싸움에서 승리하여 자신감이 넘치고 의기양양하다. 소드 라는 생각 즉 이성이나 전략을 잘 짜서 논쟁에서 이기는 것이다. 그래서 이성과 논리를 완벽하게 해서 상대를 무자비하게 제압하면서 다른 사람 패배자들이 등지고 떠나서 기분 좋지 않는 승리이다.

패배자가 되기 싫다면, 행동하기 전에 먼저 자신의 한계와 능력을 인식하고 받아들여야 할 것이다. 승리하기 위해서 논리를 완벽하게 해서 꼼꼼히 준비하고 신중하게 진행하라는 의미로 해석하기도 한다.

그리고 완벽하게 승리했다고 하는 승리자는 이성적으로는 이길 수가 있었지만 감정적으로 모두에게 손해를 가져오고 상대의 마음을 얻지 못하고 분노나 원한을 품게 할 수가 있어 상처뿐인 싸움이고 싸워서 이겨도 상처뿐인 승리이다. 따라서 실속이 없는 빛좋은 개살구이다.

사업이나 직장운에서 이 카드가 부정적으로 나오면 열심히 사업을 해도 남는 것이 별로 없다. 잘 되어도 실속이 없는 것이다. 노력의 댓가가 약하고, 직장 운에서는 나의 적이 나타날 수 있으며, 좌천과 파면으로 패배와 비관으로 빠지게 된다.

애정운에서는 주변에 남자가 많아도 맘에 드는 남자가 없고 내가 차는 경우가 많다. 아니면 상대인 이성에게 계속 차이거나 배신을 당하는 경우이다.

5 소드는 완벽하게 논쟁하지 말고 날카로운 언행을 조심하며 경쟁심을 버리

고 남을 위하는 존중심과 배려 그리고 인정하는 자세를 가지고 협력해야 상
대의 마음도 얻고 함께 승리하고 성장할 수 있다고 조언을 해주어야 한다.

---

5. Swords (소드)

[긍정적 측면]

1. 승리감. 자신감. 완벽한 전략이나 승리

2. 자존심이 강한 사람

3. 이성적. 논리적. 지성적 능력이 뛰어나다.

4. 승리자

---

5. Swords (소드)

[부정적 측면]

1. 패배자

2. 파면. 좌천. 패배

3, 굴욕. 망신살. 수치스러움. 절망감

4. 비열함

5. 상처뿐인 승리. 실속없는 승리

6. 열등감, 의기소침. 나약함

7. 사기를 당하다. 사기를 친다.

8. 부도덕한 자의 승리

9. 배신. 실연

---

6. Swords (소드)

3명의 가족으로 보이는 사람들이 함께 배를 타고 건너가고 있다. 남자는 일어서서 노를 젓고 여자는 고개를 숙인 채 머리까지 망을 걸쳐 입고 왼쪽에 아이와 나란히 앉아 있다. 왼쪽의 강물은 잔잔하고 오른쪽의 강물은 물결이 일고 있다.

배를 타고 가는 것으로 이동. 변동. 이사. 여행 등을 의미한다. 고개를 숙이고 뒷모습을 보이는 것으로 여인과 아이는 좌절하고 슬퍼하는 것을 알 수 있다.

일렁거리는 파도는 지금까지 힘들었다는 것이고, 잔잔한 물결은 앞으로 좋아진다는 것이다. 즉, 여인은 어려움의 시기를 지나서 평화로운 상황으로 이동하고 있는 것이다.

따라서 이 카드는 현재 상황보다 더 나은 곳으로의 이동, 혹은 여행을 나타내고 있다. 조금만 노력하면 고비를 넘길 수 있다. 또한 검이 6개나 있으니 이 상황을 검 즉 이성의 힘으로 감정에 빠지지 말고 움직이면서 어려움을 극복하라는 카드이다.

이 카드가 현재 직장인이라면 이직하거나 이직할 상황에 처하는 경우가 많고, 오히려 결과적으로 잘되는 것으로 판단한다. 해외 연수의 경우에도 이 카드가 나올 수 있고, 실제로는 연인끼리의 여행에도 나올 수 있다.

궁극적으로 이 카드는 변화는 있되 결과는 결코 나쁘지 않는 긍정적인 면도 있다. 사업 운에서 이 카드가 나오면 해외무역 관련된 업종이 많고, 직장에서는 해외 출장이나 연수를 가거나 이직이나 퇴직을 할 때 나온다.

학생이라면 유학이나 어학연수로 외국으로 나간다. 따라서 6 소드는 가까운 거리가 아닌 멀리 외국으로 이동할 때 잘 나온다. 부부애정운에서도 이 카드가 나오면 지금까지 고통스러웠던 관계를 청산하고 새롭게 각자의 삶으로 돌아가는 시기이다.

6 소드가 부정적으로 나오면 현재 상황이 막다른 궁지에 몰려 현실도피를 하거나 해외로 도주하는 경우이다. 따라서 지금 처해진 환경은 당분간 힘들고 앞으로 시간이 지나면 어려운 문제들이 해결이 나니 급하게 서두르면 안 된다고 조언해야 한다.

6. Swords (소드)

[긍정적 측면]

1. 중대한 전환기

2. 순조로운 여행

3. 어려움 뒤 성공

4. 좌절을 극복하는 이동

5. 긍정적 변화

6. 타인의 도움을 받아 기회가 생긴다.

7. 이동. 변동. 이사. 해외여행. 출장. 유학. 해외사업. 이민

8. 안좋은 상황에서 좋은 상황으로 간다.

6. Swords (소드)

[부정적 측면]

1. 막다른 상황에 처해지다.

2. 해외 도주

3, 이별. 이혼

4. 불합격. 패배

5. 해결이 안 된다. 물 건너가다.

6. 인생 자체가 고달프고 힘들다.

7. 집안 환경이 어렵다.

8. 당분간은 계속 힘들다.

9. 슬픔의 시간을 이겨내지 못한다.

10. 문제점을 정면으로 맞선다.

11. 재해로 인한 피난

7. Swords (소드)

한 남자가 배경에 있는 캠프로부터 5개의 검을 신속하게 나르고 있다. 그러나 바닥에는 여전히 2개의 검이 남아 있고, 옷차림이 검을 5개나 잡고 도망치고 있는 것을 보면 그는 재치 있고 기발한 아이디어와 생각을 현실화 시킬 수 있다. 검이라는 아이디와 생각, 전략을 체계화 시킬 필요가 있다.

모자와 신발이 붉은 색으로 보아 행동과 정신세계는 열정으로 가득차 있다. 그러니 성급하여 욕심을 부리다가 무모한 시도로 손해를 볼 수 있다. 그래서 이 카드가 나오면 성급하게 충동적으로 움직인다면 손해(배신 혹은 기만)를 보게 될 것이다. 따라서 7 소드는 불안정한 시도(계획 혹은 소망)를 나타낸다.

조심히 걷고 있고 눈을 감고 뒤를 보고 있는 모습이 좋지 않은 인물로 당당한 것보다 경솔하거나 좋지 않은 모습으로 해석한다.

혹은 남몰래 하는 일로도 보는데, 지적 노하우를 훔치는 산업스파이가 회사의 기밀 유출을 유통시켜 이득을 취하는 경우일 때이다.

이 카드는 부분적인 성공으로 떨어진 두 자루 칼이 아까워 뒤를 쳐다보는 모습이 욕심이 많고 미련이 많다.

애정운에서 이 카드가 나오면 부정적으로 나오면 대개 충동연애를 하게 되고 임자가 있는 상대를 내 것으로 만들거나 애인 있는 남녀가 또 다시 애인을 만드는 삼각관계, 한쪽이 유부남 또는 유부녀 아니면 양쪽 다 유부남,녀의 경우이다.

서로 진실하지 못하고 잔꾀를 부리며 사랑을 가슴으로 하는 것이 아니라 머리로 하는 불륜이나 양심불량으로 결과는 배신 등으로 이별하는 경우가 많다.

7. Swords (소드)
[긍정적 측면]

1. 전략적 사고
2. 일부 성공, 부분적 성공
3. 인내력. 끈기. 노력
4. 신중함
5. 상담이나 조언해주는 사람. 회계사. 컨설턴트
6. 책략. 술수

7. Swords (소드)
[부정적 측면]

1. 불안정한 계획. 불안정한 전략

2. 지적 저작권 노하우를 훔치다. 도둑질. 산업스파이

3. 자기 것 챙김,

4. 비방. 험담, 논쟁, 언쟁

5. 서두르면 안된다. 신중해야 한다. (조언)

6. 작은것에 관심

7. 도망. 회피

8. 투자실패. 무리한 시도

9. 잔꾀 부리지 말고 정직하게 행동하라. (조언)

10. 부정직과 기만이 드러난다.

11. 거짓말. 속임수

12. 바람둥이

8. Swords (소드)

한 여인이 눈이 가려지고 손을 뒤로 하고 붕대에 묶인 채 늪지대 같은 곳에서 검 8개에 의해 둘러 쌓여 있다. 그녀 뒤로는 성이 보이고 그림 속에 그 여자는 묶여있어 움직이지 못할 상황이다.

생각이 깊고 행동이 조심스러운 신중한 사람이고, 이것은 자신의 두려움과 불안으로 인해서 생긴 것이고, 그 근심 걱정의 원인이 외부의 영향이라고 생각할 수 있다.

따라서 몸이 묶여 있고 눈도 가리고 있어 남을 의식하거나 보지를 못하여 스스로 묶여 있는 모습이다. 물이 빠져 있는 상태라 곧 위험이 닥쳐 올 수 있으니 빨리 이성을 찾아 움직여야 한다.

이 카드의 부정적인 의미로는 본인 스스로 벗어 날려고 하지 않는다. 소심하며 노력을 안하고 노력하면 벗어 날 수 있다. 자신의 주관적인 상황에 사로잡혀 객관적인 현실을 모른다.

의지가 약하고 우유부단하며 왕따를 당할 수 있다. 주변환경 때문에 이러지도 저러지도 못하고 스스로 두려워서 움직이지 못합니다. 용기와 결단을 가지고 현실을 이성적으로 자각해야 한다.

그러나 긍정적인 의미로는 붕대가 느슨하게 묶어져 있고, 발은 묶이지 않아 자신이 원하다면 끈을 풀고 발로 움직여서 8개의 검으로 만들어진 울타리를 벗어날 수 있다.

현실을 이성적으로 생각하고 분석하여 판단한 후에 자신이 벗어날 수 있다는 것을 깨닫기만 하고 어려움을 극복할 수 있다는 마음의 결정을 하고 용기를 가지고 도전한다면 그 안 좋은 상황을 극복하고 좋은 결과를 만들어 낼 것이다.

불만족스러운 상황이 내 앞에 있다면 당당히 극복해 나아가야 한다. 용기를 내어 지금 바로 시작해야 한다. 두려움을 떨쳐버리고 용기 있는 행동이 필요하다.

8. Swords (소드)
[긍정적 측면]

1. 생각이 깊다.

2. 신중함

3. 안정추구

4. 일관성

5. 해결 가능성이 보인다.

6. 홀가분하게 결정된 상태

7. 분명한 사고와 면밀한 분석으로 움직인다.

8. 질병에서 벗어남

9. 험담에 신경 쓰지 않고 자유롭게 된다.

8. Swords (소드)
[부정적 측면]

1. 두려움, 걱정

2. 묶임, 고립

3. 우유부단

4. 재난, 구속, 사고

5. 위험성, 위기

6. 중상모략, 갈등, 비난. 왕따 당함

7. 질병, 속수무책

8. 안 좋은 소식

9. 누군가의 도움이 필요로 하는

10. 성적인 욕망으로부터 괴로움을 겪는 여성

11. 혼란과 어쩔 줄 모르는 상태

12. 대인관계가 적고 시기, 질투가 많다.

13. 현실 파악이 안 된다.

9. Swords (소드)

침대 위에서 한 여인이 하얀 잠옷을 입고 잠을 자다 일어나 두 손으로 눈을 가리고 있다. 침대 옆쪽에는 검은 배경을 하고 있는 벽에는 아홉개의 검이 나란히 걸려있고 이불은 아름다운 꽃잎으로 수놓아져 있다.

침대에 앉아 있는 여인은 무슨 일 때문인지 괴로워하고 있는데 지금까지 나를 압박하던 그 무언가가 거의 끝에 다다른 카드이다. 불면증, 우울증이 심하고 힘든 상황이다.

소드의 고통은 정신적인 것으로 비롯된 것이다. 이 카드가 상징하는 우울증이나 불면증, 또는 심리적 고통은 얼마나 심한 것인가 하는 점이다. 이 고통은 주로 사람과 사람 사이에서 일어나는 다툼 때문이다.

그 근거는 위 카드의 침상 문양을 보면 두 사람이 싸우는 모습을 볼 수 있다. 또한 회복이 어렵지 않다는 것은 이불을 보면 붉은 장미 모양의 무늬가 보이는데 그것이 그렇게 나쁘게만 보이지 않기 때문이다.

사업 운에서 이 카드가 나오면 물론 좋을 수 없다. 과거 카드라면 이미 이 카드 점을 볼 때면 거의 좋지 않은 타격을 받은 상태일 것이다. 어쩌면 이런 저런 이유로 부도 위기라 견디기 힘들 수 있다. 다만 카드 점의 속성상 다른 카드를 확인해야 한다.

애정운에서 이 카드가 나오면 애정전선에 이상이 있는 것이 확실하며, 이별 수가 맞다. 이 카드를 보고 수술 수로 보는 경우도 있지만 한 장으로는 판단하기 쉽지 않고 유난히 검 카드가 많이 나오면 가능성이 있다.

이 카드가 긍정으로 나오면 상당히 좋은데 우울하고 괴롭고 고통스럽고 불면증 상태에서 벗어났음을 의미하는 것이다. 사업운도 위기를 넘기고 새롭게 시작되는 상태이며. 애정운도 다시 잘 해결되는 상태라 볼 것이다.

9. Swords (소드)

[긍정적 측면]

1. 용기와 희망을 가져라.

2. 인내심이 필요하다,

3. 적극적 행동이 필요하다.

4. 충분한 휴식

5. 조금만 참으면 문제 해결된다.

6. 걱정에서 벗어난다.

7. 부정속에 긍정이 있다.

8. 원망을 풀다.

9. Swords (소드)

[부정적 측면]

1. 걱정, 공포, 절망, 실망, 고통, 실패, 불안

2. 상처, 비탄, 이별, 슬픈상황, 우울증, 근심, 절망, 실책,   불행

3. 신경쇠약. 노이로제. 불면증

4. 정신적 아픔

5. 가정폭력

6. 과거의 슬픔(잊지못할 슬픔)

7. 쓸데없는 고민, 쓸데없는 의심

8. 대부분 인간관계의 부조화로 인한 고민이 많다.

9. 양심의 가책

10. Swords (소드)

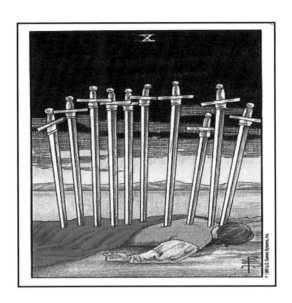

10번의 힘든 고통을 겪은 만큼 지친 상태이지만 어둠에서 이제 곧 아침이 밝아오고 있다. 10 소드는 다른 사람으로 인해서 내가 피해를 입는다. 스스로 등에 칼을 꽂을 수 없기 때문이다.

현재는 힘든 상황이고 결과는 힘들지만 이 카드는 사실적인 죽음을 의미 하지 않는다. 가장 정확히는 주로 뒤에서 모함하여 여론몰이를 하거나 인터넷 상에 악성 댓글을 달아서 괴롭히는 것을 의미하기도 하는 것이다. 이는 전면에서 이루어지는 것이 아니라 뒤에서 이루어지는 것은 위의 카드를 보면 10 개의 칼이 전부 다 뒤에 처참하게 꽂혀 있기 때문이다. 따라서 현재 당신에게는 선택할 여지가 없고 기다려야 한다.

사업운에서 이 카드가 나오면 그야말로 초상집이라 할 수 있다. 파산직전을 나타내거나 상대 업체의 등에 칼을 꽂아서 죽이는 행위는 탈세 신고, 사업 비밀 빼내기. 사업 아이디어 훔치기 등을 통하여 치명타를 입히는 것이라 할 수 있다.

다만 미래 카드로 나온다면 이 점에 대하여 미래 예고 할 수 있으나 과연 얼마나 방지가 될 수 있는지는 알 수 없다. 어떤 경우에는 오너 한사람에게 국한 될 수도 있으며, 너무 스트레스 업무 과중으로 쓰러지기 일보 직전의 경우도 있을 수 있다.

애정운, 연애운 전부 다 부진하여 거의 배신에 의한 이별수에 해당한다. 10 소드의 성향은 상처를 잘 받고 소심한 편이다. 이 카드가 긍정으로 나면 통변이 한결 쉬어진다. 또한 상대방이 "그동안 무척 힘들었는데 이제는 좀 좋아졌군요" 하면 그대로 뭔 소리인지 알아 듣는다.

애정운도 한 고비 넘긴 것으로 상당히 좋다. 이 긍정 카드는 죽음과 같은 상태에서 벗어나는 것을 말하기 때문이다. 또한 고통이 회복되는 단계이며, 새로운 시작을 의미한다.

다만 실전에서는 그저 스트레스로 무척 피곤할 때에도 이 카드가 종종 나오고 그 스트레스로 부터 벗어날 때 긍정 카드가 종종 나온다. 또한 운동을 심하게 하거나 운동 선수의 경우에도 종종 나온다.

10개 검이라는 숫자는 완성, 달성, 성공, 풍요, 결실, 완벽함을 뜻하며, 검의 속성이 지성, 이성, 신념, 전략을 말하는 것이라 이런 점이 한 단계 상승하는 것을 말한다.

날이 밝아오는 여명은 부정속에 긍정을 의미하므로 앞으로 좋아지는 희망이 있다. 질병으로는 수술, 척추, 뼈, 허리, 디스크를 조심해야 한다.

---

10. Swords (소드)

[긍정적 측면]

1. 마지막 큰 고통을 감내하면 앞으로 좋아진다.

2. 고통에서 벗어남, 죽다가 살아났다.

3. 비난, 모략에서 벗어난다.

4. 바닥을 치고 올라간다.

5. 재탄생, 새로운 도전을 시작한다.

---

10. Swords (소드)

[부정적 측면]

1. 아픔, 파멸, 정신적 고뇌, 고통, 심한고생, 괴로움, 슬픔

2. 실망, 몰락, 쓸쓸함, 폐허, 불행, 우울증, ,비탄, 불운

3. 감내할 수 밖에 없는 비난, 여론에 의한 고통

4. 아주 심한 스트레스나 무리로 인한 고통

5. 사고수, 정신적인 죽음

6. 모함 모략에 의한 심리적 고통

7. 근거 없는 소문에 의한 고통

Page of Swords (소년 검)

page는 중세 시대의 견습 기사를 말한다. 진짜 기사(과장)가 되기 전의 신입사원, 인턴, 시종의 개념이다. 즉, 그는 열정과 도전의식을 가지고 처음 시작하는 사람으로 지식이 많이 쌓여 있는 신선한 젊은이처럼 보이지만 경험과 실력이 부족하다.

그러나 패기와 도전정신, 호기심은 왕성하고 양손으로 칼을 든 젊은이가 서 있다. page인 만큼 젊고 건강하고 지성미가 있고 당당하고 패기 있는 모습이 젊고 생기로워 보인다. 아직 세상 무서울 것이 없어 당당하지만 그 만큼 노련함이나 경험은 부족 할 수 있다.

검을 들고 있는 모습은 이성적이며 계산적이며 객관적이고 냉정한 것을 말하고 있다. 그는 경험은 없지만 검 특유의 신념과 분석력과 전략을 가지고 있다.

그의 날카로운 지성과 분별력을 가지고 겁 없이 공격하거나 돌격하는 젊은 이의 행동을 표현하고 있고 생각이 깊으니 신중하고 이성적인 사람이므로 냉철한 판단력과 신념과 전략을 가지고 있다,

그러나 경험이 부족하여 조급한 마음으로 경솔하게 판단하고 서두른다면 분명 땅을 치며 후회할 수도 있으니 진중하게 생각하고 행동해야 한다.

그는 바람을 가르는 검잡이로 속도가 아주 빠르고 감정에 크게 얽매이지 않는다. 즉, 자신의 감정 파악에도 서툴고 나아가서 남에게 무정하게 보일 정도로 감정 소통에 약한 면도 있다.

그래서 다른 사람의 마음에 대해서 공감하고 자신과 타인의 감정에 대해 귀를 기울이고 관심을 가지며 경계심을 버리고 마음을 연다면 큰 인물이 될 것이다.

구름은 생각. 번뇌. 상념을 나타내고, 의상(붉고 노랗고 주황색)은 적극적이고 활기찬 성격을 의미합니다. 뜬구름 잡는 생각에 빠져 있으며, 미숙하고 잔인할 정도로 직설적이다.

소년 검은 자기 의지대로 밀고 나간다. 쓸데없는 잔소리 하고 꼼꼼하게 따진다. 감정표현이 서툴고 무정하며 이해가 빠르고 예민하지만, 서두르고 경솔하며 상대방에게 상처를 주면서 후회하니 대인관계가 원만하지 못한다.

소년 검은 새로이 시작하려 한다. 검을 들고 있어 시작하려는 의지가 강하다. 그러나 평평하지 않은 현재 바닥의 모습이 조금 불안하여 준비를 많이 하는 것이 좋다.

소년 검은 말실수. 비밀폭로. 기만적인 인물(스파이). 안좋은 소식. 믿을 수 없는 사람 등을 의미한다.

Page of Swords (소년 검)

[긍정적 측면]

1. 신선함, 빠름
2. 신중함, 냉철한 판단력. 통찰력
3. 패기, 민첩함
4. 손재주, 도전정신
5. 이지적 젊음, 활동적
6. 어리지만 용기가 가상하다.
7. 보이지 않는 것을 보는 능력이 있다.
8. 적극적이고 활기찬 성격의 소유자

Page of Swords (소년 검)

[부정적 측면]

1. 파괴, 경계, 감시, 폭로

2. 경거망동, 경솔, 조급

3. 나쁜 소식

4. 교활함, 사기꾼

5. 준비 부족, 경험 부족

6. 방심, 질병(정신질환), 예기치 않은 일

7. 투쟁, 소송, 말실수, 고집, 욕심. 잘못된 독설

8. 나이도 어리고 용기가 없다.

Knight of Swords (기사 검)

기사 검은 돌진하는 굉장히 용맹스러운 기사이다. 젊은 기상으로 힘과 추진력으로 신속한 행동을 하는 모습이다. 모든 일이 벌어지고 있는 상황이고 빨리 진행되고 멈출 수 없는 상황이다.

그러나 무조건 돈을 번다고 할 수 없으며 밖에서는 사람들과 부딪히는 상황이라도 가족이나 부모 형제에게는 아주 잘하는 양면성을 지니고 있다. 급하게 일을 진행하며 부정적 의미가 많다.

힘과 속도가 최고이며 빠른 변화를 나타낸다. 갑작스런 일이 진행될 때 나오며 검을 가지고 있어 능력은 있으나, 굉장히 냉정하고 활동적인 사람이다. 성질이 급하지만 검을 가지고 있어 어느 정도 생각하고 달려가지만 냉정하다.

따라서 사업적 수완이 뛰어나고 용맹과 지성도 있지만 부하에게는 냉혹하다. 이 기사 검이 부정적인 경우는 성질을 죽이고 급한 것을 한 템포 늦춰서 진행해야 한다.

애정운에서는 이 카드가 나오면 그 전개가 상당히 빠른 것을 의미한다. 만약 상대 남자 등이 이 카드에 속한다면 성격은 만만치 않게 급한 사람이다.

사업 운에 이 카드가 부정으로 나오면 그 기세가 너무 지나쳐서 오히려 주저앉는 것을 의미한다. 애정운에서 이 카드가 부정으로 나오면 그 상대방은 필히 상처를 입었거나 입게 된다고 할 것이다. 어쩌면 다시 상처를 입지 않으려 자신을 보호하기 위한 것인지도 모른다.

기사 검은 엄청난 스피드를 의미하기 때문에 성급하고 무모하고 대담하여선 행동 후 생각으로 타인의 감정. 내면은 고려하지 않는 편이다. 그러나 기사 검을 긍정적으로 판단한다면 냉철하게 이성적으로 판단하여 사리분별을 할 줄 아는 사람입니다.

이 카드를 조언 해석할 때 두 가지로 해석이 가능한데 하나는 너무 급하니 잠시 쉬어가거나 아니면 빨리 진행하라는 통변을 하는데 이것은 주변 카드를 보고 판단해야 한다.

Knight of Swords (기사 검)
[긍정적 측면]

1. 용감, 두려움 없는 돌진. 대쉬

2. 영리함, 숙련된 솜씨

3. 실행, 전쟁력, 전투력

4. 통찰력, 지성미, 신속한 업무실행

5. 지식이나 지혜를 능란하게 사용하는 사람

6. 사랑하는 여자를 차지하기 위하여 온 힘을 다하는

7. 두려움 없이 미지로 뛰어드는, 적극적, 저돌적, 역마

8. 지성이나 논리가 무기인 사람

9. 여성에게 매력 있는 나쁜 남자

10. 신속한 소식을 전달한다.

Knight of Swords (기사 검)
[부정적 측면]

1. 조심성 없다, 충동적, 횡포, 경솔

2. 무능함, 사고 수

3. 연인을 잃다. 상처

4. 경솔하고 너무 급해서 타인에게 상처를 주는

5. 가까이 할 수 없이 위험한 사람

6. 폭정, 횡포. 폭력남. 살기

7. 교활함. 무지. 건방진

8. 바보 같은 자만심

9. 앞뒤 가리지 않는

10. 여성에게 상처를 주지 말라

11. 용기가 떨어진다.

12. 자질이 부족한 장교 혹은 후보생

13. 연인을 제대로 다루지 못한다.

Queen of Swords (여왕 검)

여왕은 칼을 들고 있고 돌로 만든 의자에 앉아 있어 힘과 권력이 있는 여왕이다. 그러나 홀로 있거나 정서적으로 외로움을 느끼고 혹은 남에게 상처를 주거나 내가 상처를 받을 수 있다.

여왕 검은 외로운 사람이고 돌싱녀가 많다. 남편이 있어도 본인이 벌어야 할 여자이다. 이성에게는 까칠한 것처럼 보이지만 다른 사람에게는 따뜻한 마음이 있다.(아기천사)

평생 일을 해야 한다. 고위 여사제와 비슷하다. 사업운이 없으며, 금전운이 약하여 금전거래를 하면 안된다. 힘든 일이 있으면 혼자 스스로 감수해야 한다. 병원 관련일, 교사, 전문직에 어울린다.

옆얼굴을 하고 있어 중성적 이미지가 있다. 칼자루를 쥐고 있는 여왕 검은 직장 운이 길하고 능력도 있고 직위도 있다. 지적인 사람이며 감정보다는 이성적으로 판단하여 어떤 면에서는 역경이나 주변의 난관에 강하게 대항할 수 있는 힘이 있는 여성이다.

사업 운에서 이 카드가 나오면 왕과 비슷하다. 다만 좀 더 냉철한 오너일 경우가 많다. 물론 여자일 경우도 있습니다만, 그렇지 않을 경우도 많다. 다만 남성일 경우에는 어느 정도 여성적인 면이 있다고 보여진다.

애정운에서 이러한 카드가 나오면 좀 피곤한 스타일이다. 연애하는데 모친이나 다른 사람이 방해한다. 직업을 의미할 때에는 간호사이거나 의사를 나타내는 경우가 많다. 부정으로 나오면 왕의 경우보다 좀 더 신경질적이고 포악해진다.

여왕 검의 특성으로는 불임, 과부, 노처녀, 이혼녀, 남편이 있어도 외로운 여자, 나를 괴롭히는 여자 상사, 까칠하게 말하는, 원리원칙, 머리는 총명하다 등으로 해석할 수 있다. 조언으로는 슬프고 후회할 일이 일어날 가능성이 있다.

여왕 검은 강인하고 남편이 있어도 외로운 여자이고 자식. 가정을 꾸려가는 가장 적 지위를 가지게 된다. 속은 외롭지만, 완벽주의자이며, 자신을 원하는 것을 얻기 위해서 완강한 태도를 고수한다. 검을 가지고 있어 논리적이고 법규 잘 준수하며 원리원칙을 따지고 엄격하다.

Queen of Swords (여왕 검)

[긍정적 측면]

1. 재치, 영리
2. 신속함, 결단력, 예리함
3. 독립심, 용감, 강한 의지
4. 매우 지성적인 사람이다.
5. 사랑보다는 홀로 지내기를 택한다.
6. 여걸, 여장부
7. 눈치가 빠르다.
8. 완벽주의

Queen of Swords (여왕 검)

[부정적 측면]

1. 편협, 편견, 독설. 성격 까칠
2. 정직하지 못하다.
3. 고집이 세다. 자존심 강함
4. 교활, 예민, 잔인함
5. 복수심
6. 심술, 거짓, 속임수
7. 사나움, 가식
8. 결핍. 이별
9. 직선적, 날카로움. 애정 불안
10. 슬픈 여성, 외로움, 과부. 이혼녀
11. 남친이나 남편을 과잉보호
12. 남친이나 남편을 자기 손아귀에 두려고 한다.
13. 불임 여성

King of Swords (왕 검)

하늘색 옷과 빨간 망토를 걸치고 노란 왕관을 쓰고 오른손에 검을 들고 있는 왕이 왕좌에 앉아 있다. 왕의 옷과 하늘의 파란 색은 이 사람의 강한 이성과 논리성 등을 뜻한다.

그리고 들고 있는 검을 똑바로 들고 있는 모습은 차가운 이성과 논리성, 정신, 생각, 이동, 결단력, 냉정함, 예리함, 효율성, 까다로움. 등을 나타낸다.

마치 법원의 판사처럼 정의와 진실을 추구하며 자신의 확신과 신념과 정신력이 대단한 사람이다. 머리가 발달 되어 있어 정확하고 전략이 뛰어나다. 이지적이고 똑똑해 보이지만 반면 성품은 따뜻하기보다는 아주 냉정해 보인다.

냉정하기 때문에 어떤 일이든 자신의 감정을 뒤로하고 이성을 통해 해결하는 객관적인 사고가 발달되어 있다. 따라서 권위적이며 공정하고 진실과 정의 계획을 가진 사람이며 탁월한 능력을 가지고 있다.

지성적이고 공평하며 공정함을 추구하는 사람이지만 왕의 이미지처럼 권위적이고 명령적인 사람이고 독립심이 강하고 꼼꼼히 따지는 까다로운 사람이어서 판사처럼 두려움과 존경의 대상이다.

일이나 자신의 전문 분야에서는 탁월한 능력을 보이지만 인간적인 매력이나 면모는 조금 약할 수 있다. 자신의 주장이 강하고 결단력이 있지만 자기만의 생각에 빠져서 행동력이 약해질 수 있고 결혼은 늦게 해야 좋다.

이성적, 논리적, 냉정, 냉철하여 전략가, 전문직, 세무사, 회계사, 법률가. 컨설턴트. 기술직 공무원, 검찰공무원. 직업군인에 어울린다.

애정운에서 바람 피는 재주는 없고 함부로 만나지도 않는다. 사업운은 약하고 연애운도 약하고 외로운 사람이다. 건강 운을 본다면 소드의 영향으로 수술수가 있습니다.

전략가(교활, 지성, 똑똑), 애정 결핍증, 고지식하고 융통성이 없으며 포악한 사람이지만 진정한 사랑을 느꼈을 때 의외로 쉽게 무너지는 성향이다. 왕 검의 부정적인 의미로는 머리가 좋아 사기꾼일 수 있으며, 아주 냉혹하여 성격이 포악하다.

사업 운에서 이 카드가 부정으로 나오면 오너 또는 책임자의 능력부족으로 사업이 어려워진 것이며, 이 결과 그가 포악하게 변한 것이거나 원래 포악하여 사업이 제대로 진행되지 않았다고 보면 된다.

물론 주위카드를 잘 보고 판단해야 한다. 애정운에 이 카드가 부정이면 거의 대부분 그 상대는 어느 시점에 가서는 반드시 상처를 입게 된다.

King of Swords (왕 검)

[긍정적 측면]

1. *판사, 사령관, 전략가, 컨설턴트, 설계, 현명한 조언가*

2. *정의, 심판, 판단, 판결, 권위. 권력. 리더십*

3. *많은 생각과 사고를 가진 사람*

4. *자제력, 결연함*

5. *단호함, 보수적*

6. *경험 많은 사람*

7. *활동적이고 결단력이 있는 사람*

8. *전문적이고 상당히 분석적인 사람*

9. *법적인 지식이 많은 사람*

King of Swords (왕 검)

[부정적 측면]

1. 소송

2. 과도한 추진

3. 냉정함, 고집이 세다.

4. 불공평한 판결

5. 가학성, 이기주의,

6. 잔인함, 갈등,

7. 까다로운 상사, 싸이코 같은 상사

8. 포악한 사람, 깡패, 극단적인 성격, 독단적

9. 잔인하고 지성을 마음대로 휘두르는

10. 원리원칙만 따지는 윗사람

11. 의지력이 약한 남성

12. 자기중심적이고 잔인하다.

13. 지성이 다소 떨어지는 지도자

* **왕(King)**

　　펜타클: 사업가, 제조업

　　검: 참모, 컨설턴트, 지식, 정보

　　컵: 자영업자, 예술가, 장인, 공연기획자, 문화, 예술

　　완즈: 정치가, 행정가(시장, 도지사, 구청장), 비즈니스

☞ 보충 설명

소드(Swords)의 성향

* 지성적. 냉정함. 까칠함. 차가움

* 말을 한마디 던져서 반응이 확 돈다. (유머러스).

* 말로 개그(몸 개그: 완즈.컵)

* 얼굴이 하얗고 마른 사람

* 대부분 안좋다. 바람을 상징. 강하고 날카롭고 단도직입적이다.

* 좋아도 피해를 본다. 잔인. 고난. 장애물. 똑똑하다. 사는게 고달프다. 배려 심 없다. 호전적 싸움

소드: 남성적, 논리적, 이성적, 냉철한 판단력, 투쟁, 시비, 부정적 경향, 정확하고 빠르다, 실수 없다, 민첩, 바람의 성향, 흰 피부, 서쪽, 가을, 회계, 세무, 법

Ace Pentacles (에이스 펜타클)

구름 속에서 나온 손 위에 아주 커다란 5각형의 별 그림이 그려진 황금 금화가 빛을 발하며 올려져 있다. 그 아래에는 아치형의 담쟁이 넝쿨로 만들어진 문과 수선화 꽃이 잘 핀 정원이 있다.

별 모양이 그려진 동그란 금화(Pentacle)는 풍요로운 흙을 의미한다. 땅이 잘 가꾸어져 곡식, 식물이 잘 자라 비옥하고 그로인해 물질적으로 경제적으로 안정되어있는 것을 말한다.

그리고 Ace(숫자 1)는 최고의 시작을 의미한다. 그래서 비즈니스에 있어서 최고의 경제력을 바탕으로 좋은 투자를 하며, 시작하는 것을 말하고, 미래에 성공의 확률이 높은 사업으로 성장할 확률이 높아진다.

그래서 이 사업은 번영하여 금전적인 수익을 창출하고, 물질적으로나 정신적으로나 부유해질 수가 있고, 아주 안정되고 만족스러운 상황이다. 잘 가꾸어져 수선화가 핀 정원이 그것을 알려 주고 있다.

이 카드의 뒤에 보면 둥그런 아치 모양의 문이 있는데, 이것은 세계 카드의 아치 문과 동일한 것으로 평가 되고 있다. 따라서 이 카드가 뜨면 모든 일이 원만히 처리되어 성사된다는 암시가 있는 것이다.

사업운에서 이 카드가 뜨면 우선 사업자금이 충분히 확보 된 것이며, 결과 카드 부근에서 나오면 사업의 결과 한 밑천 잡게 되는 것을 의미하는 것이다.

재물 운에는 말할 필요 없이 너무 좋은 카드이다. 당연히 재물이 많이 생기는 것은 그야말로 당연한 것이다. 그러나 이 카드가 부정으로 나오면 그야말로 초상집 분위기이다.

사업 운에서는 사업은 나가야 하는데 자금비상이 걸리고 미래 카드라면 사업의 결과로 부도가 나게 된다고 보면 된다. 이 카드의 부정 카드는 그저 돈이 없다는 것이 아니라 " 갖고 있는 돈 마저 쏟아져 사라진다 "의 뜻이 맞다.

재물운도 미래카드로 부정으로 나오면 조심스럽게 자신의 투자 상황을 세밀히 점검하여 올바르는 조치를 취해야 한다. 증권 투자자가 미래 카드로 이렇게 나온다면 손해보기 전에 팔라는 뜻이기도 하다.

애정운이라면 상대방이 껍질만 멀쩡하고 신용불량자이거나 그 직전인 경우라 할 것이다. 다만 이 모든 판단은 주변 전후카드를 보고 결정할 일이다.

펜타클의 기본의미는 재물, 건강, 재주, 음식, 성욕. 재능. 기술, 식욕 등을 나타낸다.

Ace Pentacles (에이스 펜타클)

[긍정적 측면]

1. 행복, 보상. 완전, 달성,
2. 만족의 시작, 완벽함. 실질적 이득
3. 선물. 성공, 성취, 영광
4. 물질적 편안함, 부귀영화
5. 일확천금, 목돈이 들어옴
6. 건강운과 재물운이 좋다.
7. 손재주가 좋다.
8. 성공

Ace Pentacles (에이스 펜타클)

[부정적 측면]

1. 탐욕, 불행, 부패. 낭비

2. 인색, 돈이 안됨

3. 기쁨 없는 번영

4. 잘못 사용된 부

5. 재물적 망상

6. 가짜, 손상

7. 쾌락, 남용. 과용. 오용.

8. 예기치 못하게 쓰게 되는 큰돈 (손실)

9. 건강을 잃음

---

2. Pentacles (펜타클)

펜타클 두 개를 양손에 들고 오른손이 올라가 있고 왼쪽 손은 아래로 내려가 있다. 왼 다리를 위로 올리고 고개도 꺄우뚱하고 있으며, 금화 2개는 뫼비위스띠로 연결되어 있다.

이 모든 것을 합쳐 생각해보면 카드의 주인공은 불안하고, 갈등하고 있고 이에 현실적으로 조화를 맞추기 위해 계속해서 조율하면서 조화와 균형을 잡으며, 현실 파악을 위해 깊은 생각을 한다는 것을 알 수 있다.

뫼비우스띠는 무한한 능력, 가능성을 나타내지만 현재 위험하고 무리한 상황이고 금전적 곤란에 빠져 있다. 두 가지 일을 처리하는데 조금이라도 실수하면 떨어질 것 같은 근심어린 표정이다.

현재는 안정되지 않은 때이며 갈등과 어려운 일을 맞이하고 있지만, 융통성이나 유연성을 가지고 대처해야 하며 조화와 균형이 필요하다. 이 카드는 힘들어도 일단 현재로는 잘 버티어 내고 있으며, 별탈없이 견디어 내고 있다는 사실이다. 그 증거로는 뒷 배경의 배들이 풍랑 속에서 헤매어도 침몰되지는 않고 있다는 사실이다.

물론 어렵고 힘들겠지만 사업운에 이 카드가 나오면 자금회전 등이 어려운 가운데 그런데 일단은 버티고 있다고 보여지며 향후 얼마나 열심히 그리고 주변 여건에 적응하면 견디어 내는가에 성패가 있음을 알아야 한다.

재물운에는 여러가지 상황이 있을 수 있다. 예컨대 투잡 또는 학생들의 알바 등의 상황이고, 또는 빚을 돌려 막기 위하여 카드를 이리저리 막아야 하는 상황 등이다. 이 카드막기는 사업자금 등으로 인하여 어려운 상황도 있으나 때에 따라서는 부인이 남편 몰래 과소비 하여 이를 들키지 않도록 하기 위하여 카드를 돌려 막는 경우도 있다.

애정운에 이 카드가 나오면 부정적인 경우에는 삼각관계를 유발하고 있는 경우가 있다. 펜타클 2의 의미는 두가지 직업(투잡), 양다리, 바람기, 갈등, 채무, 카드빚, 자금회전(투자), 힘들게 융통하고 있다. 재미있는 사람, 아슬아슬하지만 잘 넘어가고 있다, 균형, 유지, 같은 잘못을 반복한다. 잘못된 투자. 수익률 낮다. 카드 돌려 막기, 갈등상황을 표현한다.

2. Pentacles (펜타클)

[긍정적 측면]

1. 조화, 균형

2. 고생 고생 하면서 돈을 벌다.

3. 두 가지 일을 병행한다.

4. 많은 일거리속에서 삶을 즐긴다.

5. 공부와 연애 중 한 가지를 포기하라.(조언)

6. 본업과 부업. 학교 공부와 알바. 본업과 취미활동

2. Pentacles (펜타클)

[부정적 측면]

1. 어려움, 낭패, 부채

2. 방종, 낙담

3. 임박한 문제, 어려운 상황.

4. 양다리 걸침

5. 서두름과 당황

6. 자금 회전을 억지로 하다.

7. 카드 돌려 막기

8. 균형이 깨지다, 파경, 서두르거나 신중하지 못하다.

9. 돈을 버는 데 생각보다 적게 번다.

10. 두 이성을 놓고 갈등한다.

11. 성적인 스트레스로 힘들어한다.

3. Pentacles (펜타클)

성당 같은 곳에서 아치 모형의 입구 아래에 펜타클 모양과 그 주위에 그려진 둥근 원 3개가 있고, 그 밑에는 기술자와 설계사와 그리고 성당 관계자 세 명이 모여 서로 얼굴을 보며 무엇인가 이야기하고 있다.

기술자는 벽에 못을 박으려고 한 손에는 못을 한 손에는 망치를 들고 있고, 설계사는 손에 설계도면을 가지고 있고, 머리를 덮고 있는 알록달록한 망토를 입고 있다. 머리가 벗겨진 성당의 사제나 성당의 관계자도 경청하고 있고 한 사람은 건물에서 직접 활동하는 사람이고 두 사람은 건축 전문가이다.

그래서 이 카드는 펜타클의 뜻인 현실적인 면과 안정적인 면을 말해주고 있어 숫자 3은 현실적으로 안정적으로 성장하려면 전문가와 함께 의논하여 해결하라는 뜻의 카드인데 일명 전문가 카드라고 칭한다.

이 카드는 남과의 동업이나 조언, 충고를 구하려는 점에서 많이 나온다. 결정 혹은 시작하기 전에 신중해야 한다. 협조와 협력의 카드이며, 기술의 발전과 사업규모의 성장이며, 사회적 성공을 약속하는 카드이다.

이 카드는 기본이 협력의 카드이므로 사업운에는 상당히 좋다. 이 카드가 나오면 사업의 상대방과 "윈 윈" 전략이 순조로히 진행되는 상황이라 보면 된다. 특별한 경우가 아니라면 이 카드는 협력과 그 후의 성공을 약속한다.

애정운에 있어서는 일단 이 카드가 나오면 상당히 좋은 분위기이다. 다만 이 카드가 두 사람 중 한 사람의 신분을 상징할 때에는 공대생. 기술자 등을 나타내는 경우이다. 그리고 이 카드가 펜타클의 섹상이 유일하게 노랑색이 아니기 때문에 금전. 물질적인 풍요는 아니다.

이 카드가 부정으로 나오면 위에서 거론된 좋은 이미지가 나쁜 이미지로 바뀐다. 우선 협력이 깨진 것이니 사업운이 별로 좋지 않다. 특히 자금조달과 관련된 협력상태가 문제가 된다면 부도의 위기까지 가게 된다.

또한 기술을 바탕으로 사업에 임하는 경우라면 그 기술의 신뢰성이 잘못되어 사업을 망치게 되는 경우라 할 것이다. 애정운에서는 오래된 커플은 괜찮지만 안좋은 상황이라면 한 명이 바뀌었거나 한 명이 더 끼었거나 설레임이 지난상태(펜타클)로 매너리즘에 빠져 지루한 사랑이다. (조언: 평화로움은 안정을 가져다주지만 설레임을 잊게 만든다)

삼각관계, 손기술, 손재주, 3의 숫자는 완성을 의미한다. 현재는 부족하지만 앞으로는 좋고 금전운은 괜찮다. 전기, 전자, 과학, 컴퓨터, IT계통에 좋다. 기술적 자문가(전문가)에게 조언을 받아라.

동업, 협력, 팀웍, 근면성, 부동산거래, 소개팅, 승진, 장인정신, 주변 도움, 화합, 직장인, 양가 부모, 선후배, 삼각관계, 부동산중개업, 두 사람 결혼에 영향력 행사하는 사람이다.

---

3. Pentacles (펜타클)

[긍정적 측면]

1. 노력 통한 성공
2. 동업, 세사람 협업. 팀웍 (조직활동을 통해 연구.일)
3. 고급 기술자, 마스타(달인), 고급장인. 숙련된 기술
4. 동업, 사내커플, 조언, 소개팅
5. 예술적인 재능
6. 이공계. 생명공학. 토목기술이사. 건축사
7. 좋은 기회
8. 고쳐서 사용해야 한다.

---

3. Pentacles (펜타클)

[부정적 측면]

1. 기술의 부족. 가짜 기술자

2. 팀웍이 깨짐. 팀 멤버가 이탈하는

3. 순서를 지키지 않고 엉망인

4. 돈 문제. 투자 실패

5. 인색함, 편견, 자만심

6. 삼각관계

7. 기술력이 신통치 못해(기대에 어긋나서) 신뢰를 잃어버림

8. 책임감 부족

9. 자신의 분야에 대해 애정이 없다.

4. Pentacles (펜타클)

한 남자가 머리에 왕관을 쓰고 그 왕관 위로 팬타클(금화)를 올려놓고 양발로 2개를 밟고 한 개는 가슴에서 양손으로 꽉 쥐고 있다. 뒤로는 건물들이 있는 것을 보니 경제적으로 풍요롭게 보인다.

그래서 그는 유산 상속도 많이 받거나 자수성가하여 부동산도 많고 그 재산을 잘 지키고 재테크도 잘한다. 그는 경제적으로 물질적으로 사랑하고 안정적인 상황인데 펜타클을 머리에 얹고, 발로 밟고, 양손으로 꽉 쥐는 것을 보면 경제적인 면에 집착이 강하여 인색하다는 느낌이 들어 절대로 흔들리지 않고 내려놓지를 못하여 융통성이 없고 답답하며 돈도 안쓰는 구두쇠이기도 하다.

그는 사랑과 감정을 표현하는데 있어도 경제적인 면을 고려하고 인색한 경향이 있다. 금전적인 여유가 있어 하루 마음 편하게 놀러가도 될 텐데 그렇게 하지 못한다. 따라서 여기서 얻을 수 있는 교훈은 우리가 새로운 변화에 맞추어 긍정적이고 성공적인 삶을 추구하려면 위험을 감수하고 도전해야 한다는 것이다.

사업 운에 이 카드가 나오면 사업 추진에 있어서 방침이 될 수 있으면 자금이 적게 들어가는 쪽으로 노력한다는 것을 의미한다. 따라서 이러한 카드가 나온다는 것은 너무 자금을 절약하기에 역효과가 있음을 경고하는 것이니 그 방침을 재고 할 필요가 있게 된다.

재물 운에서는 그리 나쁘지 않다. 이 카드가 나오면 수입은 그대로이고 지출이 적어서 알뜰하게 저축이 들어난다는 뜻이다. 애정운에서 이러한 카드가 나오면 카드의 대상자는 생활력이 강한 사람으로 알뜰하게 저축을 하는 사람이다.

이 카드에 해당하는 성향을 갖은 사람들은 회사 등에 취직 할 때 자신이 어떤 일을 하는가 하는 적성 보다는 월급을 얼마 받을 수 있는가 하는 경제적인 것을 먼저 생각한다. 돈 많이 받아서 멋지게 쓸 생각은 전혀 없고 그저 알뜰살뜰 저축할 생각만 하니 이런 사람은 그 배우자도 당연히 자기와 같은 것을 바란다.

유산상속, 집착, 마비, 고집이 세고 외곬수, 개인주의, 이기주의의 성향으로 애인을 친구들한테 소개 안 시켜주고 나만 만난다. 사랑과 감정이 인색하여 분배 불가능하고 대화가 불통하고 자기방어에 강하다. 원하는 금액에 집착하기 때문에 거래가 성사되기 어려워 매매 운이 좋지 않다. 따라서 이기심을 버리면 더 쉽게 원하는 결과를 얻을 수 있다.

---

4. Pentacles (펜타클)

[긍정적 측면]

1. 소유욕, 물질사랑

2. 유산. 재산 축적. 금전파워

3. 승진, 물질적 재산. 경제적 안정

4. 돈관리를 잘한다.

5. 현 상태를 유지하는데 온 힘을 다한다.

6. 집중력이 좋은. 시선을 모으는

7. 수입은 저축이 가능해야 한다.

---

4. Pentacles (펜타클)

[부정적 측면]

1. 구두쇠. 고리대금업자

2. 돈과 인연이 적다.

3. 돈을 낭비하는 사람

4. 타인과 감정을 나누는데 인색하다.

5. 자기 자신밖에 관심이 없다.

6. 인색함, 비관대함

7. 욕심 부리다 탈남, 지나친 집착

8. 수입 보다 지출이 많아 빚을 지는

9. 소유에 대한 집착을 버려라.

10. 더 이상 이득이 없다.

5. Pentacles (펜타클)

눈이 펑펑 쏟아지고 바닥에는 많은 눈이 쌓여진 상황에서 힘들게 보이는 두 명의 사람이 걸어가고 있고, 여자는 맨발이고 빛바랜 빨간 망토를 걸치고 걸어가고, 남자는 절름발이로 걷는게 불편해서 양손에 지팡이에 의지하여 걸어가고, 머리도 불편한지 끈으로 묶고 있다.

두 사람 모두 배고프고 몸과 마음이 지쳐있는데 '5'라는 숫자는 역경을 의미한다. 그래서 지치고 몸의 건강을 잃고 금전적인 문제도 생기는 것을 의미하고 주변 상황이 어려워졌을 때 뜨는 카드이다.

두 사람 머리 위로 5개의 별 모양의 펜타클이 빛나는 창문이 보이는데, 창문은 성당의 창문처럼 보이지만 두 사람은 자신의 머리 위에 있는 빛나는 창문을 볼 마음의 여유도 없다.

빛나는 창문은 희망을 의미하는 것으로 그들은 몸과 마음이 힘들어 그 희망을 보지 못하고 있다. 이것은 가까운 곳에 도와주는 사람이 있거나 가까운 미래에 희망이 있음을 이야기한다.

현재의 고민과 어려움에 빠져서 희망적인 상황을 보지 못하니 긍정적인 생각을 가지고 주위 환경을 둘러보면 경제적, 육체적, 정신적으로 회복할 수 있는 휴식처를 만나고 그 역경을 극복할 수 있을 것이다.

부정적인 의미로는 춥고 배고픈 상황인데 노력을 안하는데 노력하면 극복할 수 있다. 본인 스스로 포기하는 상황이고, 역경의 시기, 궁핍, 가난, 능력 부족, 짝사랑, 스토킹(악마, S2) 애정결핍, 불륜, 가치관이 서로 달라 힘들게 연애한다. 인기가 많은 사람이면 풍요속에 빈곤. 남자가 여자를 스토킹 등의 의미를 지니고 있다.

이 카드 본래의 의미로 사업이 망하거나 기타 등등의 이유로 생활을 이어갈 돈이 없어서 즉 순수한 경제적 이유로 어려워 진 경우에 이카드가 나온다. 기타 인간의 마음, 정신, 영혼을 메마르게 하는 행위나 상태의 경우 이 카드가 나온다.

사업운에 이 카드가 뜨면 망한 후 완전히 거덜나서 파산 정리까지 한 상태로 보면 된다. 어쩌면 직원들 월급도 못 주고 망한 경우라 보면 될 것이다. 그야말로 돈에 쪼들려서 미치기 일보 직전이라고 할 정도이다.

애정운에서 이 카드가 나왔다면 별로 좋지 못하다. 연애 자금이 없다는 표현도 될 수 있으며, 서로의 사랑이 없어서 서로 초라해지는 것으로 이별수로 보면 됩니다.

그러나 두 커플점을 보면서 전혀 이상이 없어 보이는 데 어느 한 상대자에게 이 카드가 나왔다면 이는 "불륜" "삼각관계" 이다. 이 카드가 긍정으로 나와도 그렇게 많이 좋지는 않다.

사업운에 있어서 이 카드가 긍정으로 나오면 사실 이제야 파산상태 다 정리하고, 어려움에서 벗어나기 시작 했다고 보면 된다. 물론 이 카드 뒤로 에이스 펜타클 등이 나오면 자금 확보가 다시 이루어지는 것이다.

그러나 이 카드가 긍정으로 나왔다고 해서 돈이 당장 어디서나 생기는 것이 아니라 어려움에서 벗어나는 계기가 생기는 것이다.

5. Pentacles (펜타클)

[긍정적 측면]

1. 희망적 미래

2. 역경 극복. 어려움에서 벗어나는

3. 부활

4. 금전적 도움

5. 귀인

5. Pentacles (펜타클)

[부정적 측면]

1. 고독, 역경, 가난, 노숙자

2. 불안. 결핍, 궁핍, 가난, 절망

3. 건강하지 못함

4. 외로움, 결핍. 상실

5. 정부(情婦). 애인. 첩, 불륜

6. 금적적 부담, 금전 갈등

7. 경제적 어려움

8. 남자(여자)가 여자(남자)를 스토킹 하는

9. 돈 문제로 가족이 해체

6. Pentacles (펜타클)

붉은 코트와 모자를 쓴 한 사람이 왼손으로는 천칭을 들고 있고, 경제적으로
어려운 사람들을 향해 오른손으로 동전이나 금화를 나누어 주고 있다. 그는
경제적으로 여유가 있는 상인처럼 보인다. 그는 돈을 나누어 주지만 저울을
들고 있는 모습을 볼 때 철저하게 따지고 합당하게 분배하고 있다.

그래서 돈을 빌려주는 일이 생길 수가 있고 아니면 반대로 빌려준 돈을 받
을 수가 있다. 아니면 주위 사람들이 현실적으로 도움을 줄지도 모르니 도움
이 필요하면 적극적으로 움직여서 도움을 청하면 원하는 것을 얻을 수가 있
다.

이 카드에는 전부 3 사람이 등장한다. 우선 가장 주 역할을 하는 인물은 돈을 주는 사람이다. 이 사람은 왼손에 저울을 들고 돈을 받을 사람이 얼마를 받아야 하는가를 계산하여 준다. 이 역할만 보더라도 이 사람은 사회적으로 성공한 사람이며, 기업체의 장이거나, 아니면 자선단체의 책임자이다.

두 번째 인물은 손을 벌려서 금화를 받고 있는 사람이다. 이 인물에 대한 평가는 "선한 사람"이므로 자선의 손길이 닿았다 라고 말한다. 세 번째 인물은 손만 벌렸지 돈을 못 받는 사람인데 한마디로 "악인"이다 라고 말하기도 하고 또는 단지 아직 차례가 안되어서 그렇다 하고 말한다. 그러면 이 카드가 과연 주인공이 누구인가 하는 것이다.

우선 미래 카드 중에서 어쩌다 나오는 먼 미래나 또는 사업을 시작하기 시작한 오너의 경우라면 당연히 "당신은 사회적으로 성공하여 다른 사람에게 월급 등 무엇인가 줄 수 있는 능력을 갖게 된다" 라고 말해주면 된다. 다음으로는 돈이 필요할 때 이 카드가 나오면 대출이 가능하다 라는 뜻으로 카드 속의 돈을 받는 사람으로 나타난다.

사업을 하는 오너라도 돈이 필요할 때 있고 대출 건에 대하여 물었을 때 마침 이 카드가 나온다면 적시적타라 할 것이다. 재물운을 볼 경우 이 카드가 나온다면 그리 좋을 것은 없다. 일반적인 샐러리맨 등의 경우라면 돈 들어갈 일이 있어서 대출을 필요로 하기 때문이다.

연애운의 경우 이 카드는 일단 대출의 카드이므로 결혼자금 관련문제로 빨리 결혼이 성사되기는 어렵다고 보여진다. 따라서 이 카드는 사람이 사회생활 하면서 미래에 부유한 사람 성공한 사람으로 나타내는 경우로 더할나위 없이 좋으나 현실적인 면에서는 대출을 필요로 하는 상황을 나타내는 경우가 많다고 할 것이다. 마지막 인물로는 돈을 못 받고 있는 사람인데 실제로 현실사회에서 전부 다 누구에게나 대출을 원한다고 해서 다 되는 것은 아니다.

이 카드의 주인공이 나타내는 직업으로는 은행원, 회계사, 금융관계 종사자, 경리사원 등이다. 이 카드가 부정으로 나오는 경우는 상당히 좋지 못하다. 우선 회사가 부도 직전으로 직원들 월급을 못 주는 경우가 그것이다. 두 번째로는 돈을 주는 주인공의 성품을 180도 바꾼 역의 해석으로 악덕 사채업자에게 돈을 빌렸다 하는 것이다.

부정적 측면으로는 돈도 많이 벌었지만 다 나간다. 남 좋은 일만 하여 실속이 없고 사업을 시작 안 하는 것이 좋고 고정 월급 받는 것이 좋다. 주는 것 또는 받는 것을 의미하고, 후원자, 대출, 자선, 삼각관계, 투자가치가 있는 곳에만 투자, 저축한다는 뜻도 된다.

애정적으로 보면 내가 사랑하는 사람과 나에게 사랑을 주는 사람이 두 사람이 있는 경우가 있는데 한쪽한테는 사랑을 주는데 한쪽한테는 사랑을 안준다. 은혜받음(거지입장), 적선, 베품(상인입장) 대출하여 사업하면 실속이 없다.

6. Pentacles (펜타클)

[긍정적 측면]

1. 자선, 보시. 베풂, 나눔, 은혜 받음

2. 대출상환. 후원, 자선, 금융, 은행

3. 원리원칙, 계산적, 헛돈은 안쓴다.

4. 이해관계를 따져가며 도와준다.

5. 은행에서 돈을 찾음

6. Pentacles (펜타클)

[부정적 측면]

1. 채무, 빚. 못 돌려받음

2. 사채업자에게 빚을 지다.

3. 월급을 줄 수 없는 형편

4. 재정난, 금전 도움 요청

5. 이해타산, 인색함, 탐욕, 뇌물

☞ Tip: 상담자(카운셀러)의 올바른 자세

예언을 해주기 보다는 내담자의 마음을 치유해지고 번뇌를 제거해주는데 초점을 두어야 한다. 내담자는 불안하며 궁금해 한다. 따라서 내담자의 마음을 평안하게 해주고 내담자가 걱정, 근심, 호기심에 차 있는 마음을 해소시켜 주어야 한다. 상담자는 내담자의 이야기를 많이 들어주고 그들의 입장을 이해 해주어야 한다. 상담자는 자신의 말을 하기 보다는 내담자의 이야기를 가능한 한 많이 들어 주고 그들의 생각들을 포용력있게 이해 해주어야 한다. 모든 내담자가 좋은 내담자만 오면 문제가 없지만 괴롭히고 좀 안좋은 에너지를 투사하는 내담자가 올 수 있으므로 이에 잘 대처해야 한다.

내담자가 상담자(타로리더)보다 더 잘난체를 하거나 상담자를 우습게 보면 상담자는 그들의 존재감을 인정해주고 그 사람들의 좋은 점을 긍정해주는 마음자세가 필요하다. 상담자 자신도 어느정도 마음공부를 해야 하며 항상 올바른 사유를 하도록 노력해야 한다. 그래야 외고집적이고 왜곡된 생각들을 갖고 찾아오는 내담자들을 올바르게 상담해줄 수 있다.

상담자와 내담자간에 피드백은 매우 중요하다. 상담자는 자신의 의견이나 조언을 제시하기 전에 충분히 내담자의 마음과 걱정근심 그리고 고민문제를 들어주어야 할 것이다. 그리고 수시로 모르는 부분에 대해서는 진솔하게 내담자에게 물어보고 그 정보를 통해서 내담자에게 타로상담 조언을 해주어야 할 것이다. 자신이 모든 것을 다 안다고 생각하고서 타로상담을 해서는 절대로 안된다.

7. Pentacles (펜타클)

금화(펜타클)가 6개나 있고 하나는 떨어져서 땅 위에 놓여 있다. 농부가 농기구에 두 손을 올려놓고 그 위에 턱을 살며시 놓고 농부는 열심히 일해서 결실을 눈앞에 두고 있고 또한 얼굴 표정은 신중하게 생각하고 있는 모습이다.

현재 움직일 수 없는 여건이고 쉬어야 할 시기이다. 시간이 지나면 원하는 것을 얻을 수 있으니 조금 기다려야 상황이다. 또한 다른 면으로 본다면 과거의 경험으로 새로운 것을 하려고 준비 중에 있기 때문에 현재는 추진력이 부족한 상태이다.

지금까지의 일들을 일단 정리하고 방어하고 인내하면서 지금까지 해온 과정과 노력과 그 결과를 평가와 검토를 통해 세부적인 것에 신경을 써서 모든 방법을 재편하고 시스템을 갖추어야 한다.

애정운에서 본다면 두 사람의 연애 진도가 늦어지고 망설여지는 상태이다. 부정적으로 본다면 어장관리를 하고 있는 모습이다.

재물운에서 부정적으로 본다면 갚아야 할 빚으로 고민이 많고, 현재는 잠깐 쉬고 있는 인생의 전환점에 와 있다고 볼 수 있으며, 긍정적으로 본다면 성공적인 사업 거래를 위한 중요한 결단 순간에 와 있는 상태이다.

---

7. Pentacles (펜타클)

[긍정적 측면]

1. 진지하게 생각하고 성실히 노력하라.
2. 평가. 숙고
3. 일관된 노력, 근면
4. 현재는 적은 수확이지만 차후에는 많은 수확을 거둘 수 있다.
5. 협상. 과거일 성공, 개발, 성장
6. 성공적 처신. 성공적 거래. 돈. 보물
7. 독창성, 고안능력
8. 진행해왔던 학업, 인간관계는 그만두고 싶어한다.
9. 잠깐 멈추어서 확인하라.

---

7. Pentacles (펜타클)

[부정적 측면]

1. 조바심, 불안

2. 분별없는, 정지상태

3. 돈을 잃음. 재산 낭비, 투자 실수, 자금 부족

4. 느긋한 진행, 게으름

5. 돈 아까움

6. 성급하게 실행하지 말 것

7. 미적거리다 기회 상실

8. 하고 있는 일이 완성되기 어렵다.

8. Pentacles (펜타클)

8 펜타클은 내가 가진 기술을 금전적인 이득으로 바꿀 수 있음을 나타내며, 부지런한 노동과 참신한 착상들이 미래의 성공을 기약하는 카드이다.

팬타클 3번 카드가 초급기술자로 성실하게 일하여 성장과 확장을 도모하려는 카드라면 8번 카드는 안정된 전문가로 자리를 잡아 기술로서 돈을 벌 수 있는 능력을 지난 사람을 의미한다.

노력의 결과로 경제적인 안정과 능력을 인정받는다. 순서에 의하여 차근 차근 일을 할 것을 요구하는 카드이다. 사업운에 이 카드가 나왔다면 사업의 진행이 순서에 맞게 순조롭게 잘 진행되고 있다는 뜻이다.

사업 운에서는 미래 카드로 부정으로 나오면 사업진행이 잘못되고 있는 것을 의미한다. 그것은 지켜야 할 법적 절차의 생략 등 전반에 걸친 문제로써 반드시 점검해야 할 것을 의미하고, 그 하자가 결국은 사업상의 커다란 불이익을 갖고 옴을 뜻한다.

현재는 초보자나 신입사원이지만 전문가로 점점 갈려고 하는 사람이다. 겸손하고 참신하고 근면하여 미래의 성공기약이 가능하니 인내를 가지고 꾸준히 진행하면 좋다. 따라서 펜타클 8은 한우물만 파야 하며 손재주가 좋다.

장인정신이 있고 대기만성형이다. 조금만 더하면 완성할 수 있다. 새 기술(공부,취미,직업)을 익히기 위해 진력하고 있는 상태이다. 창조적 직업은 아니고 되풀이 반복하는 기술자나 기능공을 의미한다.

이 카드의 또 다른 의미로는 신입사원, 초보자, 학생신분, 자동차 정비사, 돈이 되는 기술을 배운다, 겸손하다, 근면. 저금, 적금 등을 뜻한다. 부정적인 측면으로는 피로감, 성급한 행동, 벼락공부, 기초부실, 기다리지 않는, 기술배우기를 포기하는, 애정 포기, 기술이 형편없는 등이 있다.

---

8. Pentacles (펜타클)

[긍정적 측면]

1. 장인, 기술, 훌륭한 솜씨. 공예

2. 정직함. 근면, 노력, 겸손함

3. 견습공, 견습 기간

4. 반복적인 일을 통해 일을 배우는

5. 배우는 속도 빠름

6. 인내력이 있고 일을 많이 하는

7. 꼼꼼하게 살펴라.

8. 실력 향상. 내공을 쌓음

9. 수익성, 경력, 취업, 돈, 직업, 학습, 수입금

---

8. Pentacles (펜타클)

[부정적 측면]

1. 거짓된 장인정신

2. 인내하지 못하는, 노력부족

3. 기술력 향상 못함. 기술부족

4. 부족한 야망, 탐욕. 아첨

5. 배우는 속도가 느리다.

6. 백수

7. 엉터리로 일한 상태

8. 미취업

9. 힘든 작업, 수입안됨

10. 공부 열심히 하지 않는다.

9. Pentacles (펜타클)

무성한 포도밭에 여인이 홀로 서 있다. 여인은 비록 혼자이지만, 조금도 외로움을 느끼지 않는다. 오히려 물질적인 안정과 육체적인 평온을 마음껏 누리고 있는 모습이다.

여인은 이미 내부적인 마음의 평화를 얻었으며, 굳이 사람들과 교제하지 않고도 얼마든지 스스로 만족감을 누릴 수 있는 사람이다. 포도송이는 수많은 유혹을 나타내며 남자로부터 인기가 많다.

왼손에 장갑을 끼고 있는 것은 자기 보호가 강하여 상처를 받는 것을 싫어한다. 자신은 상처받기 싫어하기 때문에 연애는 본인을 맞추어 줄 수 있는 남자를 만나야 한다.

부유한 귀부인처럼 보이고 모든 것을 다 갖춘 잘난 여자이다. 그러기 때문에 콧대가 높거나 독선적이며 까칠하며 너무 물질적 집착에 강하고 안하무인적 성격을 가질 수 있어 오히려 함께 할 친구가 없어 외로운 사람일 수 있다.

앵무새는 말을 잘하는 사람으로 어학에 소질이 있다. 따라서 굳이 직업을 말한다면 통역사, 영어교사 등이다. 부유한 사람이고 아주 현실적이고 물질에 강한 사람이라 돈만 많으면 유부남도 만나는 스타일이다. 안하무인 성격을 가질 수 있으니, 연애는 본인을 맞추어 줄 수 있는 남자를 만나야 한다.

애정운에서 보면 상처받기 싫어하며 집착이 강하고, 약간의 내숭으로 태연한 척 한다. 그러나 한 사람에게 필이 꽂히면 끝장을 낸다. 독특한 연애 성향을 가지고 있고 외로운 성향으로 혼자 사는 여자가 많다, 따라서 이 카드의 주인공이 여자라면 우울증, 공주병, 결벽증을 지니고 있다.

애정운에 있어서 이 카드가 부정으로 나오면 자신의 형편을 상대방에게 속이고 있을 가능성이 있다. 즉, 사기꾼 같은 남자이거나 여자일 경우이다. 없으면서 있는 체 거짓된 것을 진실인양 속이면서 접근하여 돈이면 돈 거시기면 거시기만 훔치려 하는 경우일 가능성이 있다.

긍정적인 측면으로는 똑똑하고 능력이 있으며, 인정이 있어 대인관계가 원만하고 물질적으로 안정이 되어 있어 평온하고 성취감을 가지고 있다.

---

9. Pentacles (펜타클)

[긍정적 측면]

1. 성취, 통찰력, 안정, 자유

2. 분별, 신중

3. 물질적인 풍요, 경제력 풍족

4. 자연 사랑

5. 말을 잘하는 사람, 통역

6. 홀로 지내기를 좋아한다.

7. 함께 할 동무가 있음

---

9. Pentacles (펜타클)

[부정적 측면]

1. 허영으로 많은 부를 소비한,

2. 욕심 많다, 사치, 소비

3. 우울함이 심각한, 독선적, 이기주의

4. 독선적. 이기주의

5, 독신녀, 자유부인

6. 외로움, 함께 할 동무도 없는

7. 부유하지 못함

8. 사기. 잘못된 믿음

9. 친구 잃고 돈 잃고 건강 잃는다.

10. Pentacles (펜타클)

경제적으로 여유 있어 보이는 나이 든 사람이 가족과 개와 함께 있다. 사회적인 지위와 명성을 획득한 그는 넉넉하고 안전한 가정생활과 물질적으로 안정된 삶을 유지하며, 금전적인 수익에 있어 자신만만한 카드로 사업이나 수익과 관련하여 이 카드가 나온다면 성공과 번영을 예감해 줄 것이다.

결혼을 의미하며 화목한 가정을 나타낸다. 부유하며 안정적, 물질적으로 안정된 삶을 추구한다. 성격이 좋고 가정적이다. 부동산, 유산상속, 가족사업, 후원재단 등을 의미한다.

사업적으로는 좋은 쪽으로 투자할 수 있다. 규모가 큰 사업을 하는 회사나 직장을 나타내며, 애정적으로 연애를 1~2년 이상 안정적으로 사귀고 있거나 결혼을 전제로 만나거나 아니면 가정을 의미하고 가족으로부터 금전적 도움 받는 경우에도 이 카드가 나온다.

이 카드가 사업 운의 결과로 나오면 그런대로 만족할 만한 이익을 남긴 것이며 그 회사가 회사원을 중심으로 똘똘 뭉친 가족적인 회사로 분위기도 좋음을 알 수 있다.

이 카드가 부정적으로 나왔을 때의 설명은 가족의 행복이 깨지는 것인데 그 행복을 깨뜨리는 유형으로 도난 강도, 유산의 손실, 배우자의 바람, 또는 그로 인한 재산의 소멸, 배우자의 질병, 사망, 아이들에게 닥친 재해 등으로 가정파탄이 난다.

사업 운에 이 카드가 부정적으로 결과적으로 나왔을 때에는 사업의 이익을 못 내고 오히려 빚만 지게 되었으며, 또한 직원들에게 월급조차 지급하지 못해서 가족적 분위기가 깨진 상태라 할 것이다. 부정적인 측면의 애정운은 한 마디로 간단히 "이별수" 이다.

---

10. Pentacles (펜타클)

[긍정적 측면]

1. 번영, 재산 취득

2. 부자, 재물, 재산

3. 가족의 재산

4. 가정, 주거의 안정

5. 업적. 가족의 전통

6. 유산상속

7. 가정의 화목을 중시, 가화만사성

8. 즐거운 모임 개최

9. 돈도 생기고 모임도 재미 있는

10. 안정적인 직장 (공무원, 공기업) 중시

---

10. Pentacles (펜타클)

[부정적 측면]

1. 가정의 행복이 깨어지다.

2. 금전적 손해, 재산적 손해

3. 불쌍함, 가족 불행

4. 가족애 없음, 별볼일 없는 가정

5. 유산을 잃거나 강도 또는 도난을 당하다, 분실

6. 모임을 가지면 돈이 나간다.

7. 돈때문에 만나는

8. 계모임에서 한사람이 돈을 가지고 튄다.

9. 가정보다 돈을 우선시한다.

Page of Pentacles (소년 펜타클)

풍요로운 들판에서 소년이 금화를 두 손으로 받쳐 들고 있다. 그는 물질적인 가치를 존중하는 실용적인 사람으로 새로운 지식이나 정보와 유용한 기술의 습득에 적극적이며, 매사에 신중하고 열심히 노력하는 타입이다.

이 카드는 물질적인 가치를 추구하는 사람에게 긍정적으로 작용하는 카드로 돈을 벌 수 있는 좋은 기회가 오거나 미래적으로 사업이 번창하거나 새로운 사업 아이디어로 성공을 기대할 수 있는 카드이다. 늘 지식을 탐구하는 자세로 열심히 살아가는 사람으로 초보일지라도 안정적인 결과를 만들어 낸다.

애정운에 이 카드가 나오면 상당히 좋다. 책임감 있고 성실하며 장래를 위하여 공부 등 열심히 하는 사람이며, 물론 자격증 등 제반 요건을 갖추거나 갖추려고 하는 사람이기도 하니 이러한 사람이 애인이 된다는 것은 결혼을 전제로 한다면 상당히 좋은 일이다.

더우기 성실하고 믿음직스럽고 책임감이 있으니 양다리 걸치지 않으니 일단은 무조건 좋은 것이다. 또한 나이 좀 먹은 사람이 이 카드가 나왔다면 상대가 연하일 가능성이 농후하다. 다만 약간은 흠이라면 상대가 화끈하게 놀아나는 끼는 없다고 보면 정확한 판단이다. 따라서 결혼을 염두에 둔 만남으로 좋을 듯하다.

이 카드가 부정으로 나오면 좋은 이미지가 그대로 없어진다. 예를 들면 껍질만 학생일 뿐 날라리로 장래가 전혀 보장되지 않고 놀기만 좋아한다고 보면 되고 부모의 돈만 축내고 있을테니 부모의 능력은 그런대로 있다고 보아야 한다.

소년 펜타클은 공부를 하거나 뭔가를 배우는 것을 시작한다. 따라서 시작을 의미하며 미숙한 상황을 나타낸다. 의욕은 강하며(완즈), 전달자(전령), 시작은 하지만 결과는 미미하다. 새로운 시작(사람)을 뜻하고 연하의 남자를 의미한다.

순수하고 착한 것을 의미하니 첫사랑이 되며, 장난기, 소년(소녀), 견습생, 10대, 어리고 미숙해서 다른 사람에게 의존하며 모험 좋아한다. 월급, 장학금, 돈을 벌 기회, 미래 발전적 사업, 앞으로 잘된다(희망) 등의 키워드가 있다.

소년 카드들은 청소년을 뜻하기에 대부분 성실한 학생으로 표현되고 있다.

그 중에서도 이 소년 펜타클은 더욱 학생으로 많이 표현 되고 있는데. 카드의 그림은 장래 돈을 벌기 위하여 몸과 마음을 집중하여 공부하는 모습으로 표현되고 있다.

Page of Pentacles (소년 펜타클)

[긍정적 측면]

1. 낙천적, 신뢰, 책임감, 성실

2. 소식 전달, 정보

3. 새 아이디어, 새 지식

4. 믿음직하고 성실한 학생, 청년, 장학생

5. 하고자 하는 일에 전념하고 집중력이 강한

6. 심사숙고

7. 미래지향적 사업

8. 호기심

9. 기능, 재능, 공부에 관심 있는

Page of Pentacles (소년 펜타클)

[부정적 측면]

1. 비현실적 사람.

2. 우유부단, 말 多, 충동적, 조바심 없음

3. 비논리적 사고, 아이디어 상실

4. 게으름, 집중력이나 전념하는 자세가 없는, 산만한 학생

5. 학생이면서 놀기만 좋아하는

6. 반항, 거부, 반역

7. 나쁜 소식

8. 에너지손실, 낭비

9. 사실 인식 못함

Knight of Pentacles (기사 펜타클)

들판에 말이 조용히 서 있으며 기사는 금화를 응시하고 있다. 긍정적 측면에서 본다면 이 카드에 나오는 기사는 성숙하고 믿음직스러운 인물로 사려 깊고 규칙적인 생활을 하며 임무를 완수해내는 능력의 소유자이다.

펜타클의 기사는 일반적으로 한동안 진척이 없었고 교착상태에 빠질 위험이 있더라도 끝내는 긍정적인 결과를 낳을 것이라는 의미를 내포하고 있다. 이 카드는 비록 노력한 일의 결과가 늦어지더라도 기다릴 만한 가치가 있다는 것을 뜻한다.

부정적 측면으로 본다면 말이 서 있다. 주변머리가 없고 고지식하며 답답하며 융통성이 없으며 성실하고 자기 주어진 일만 잘한다. 여자가 시킨대로 다 하며 여자에게 몰라서 못해준다. 여자가 답답하게 느끼고 짜증을 낸다.

사업 운은 약하고 발전이 없고 안정적이지만 큰 변화는 없다. 말이 움직이는 것은 이동, 변동(직장, 집), 이사 운을 나타낸다. 그런데 펜타클 기사는 말이 움직이지 않고 있으니 이동(변동)을 안 한다.

펜타클 기사는 동갑이나 비슷한 연령자와 연애를 하며, 열심히 일하고 성실한 사람이다. 안정적인 펜타클을 나타내니 계획을 세워 놓은 돈, 저금, 적금 등을 의미한다.

대개 펜타클과 관련된 직업으로는 금융관련 직종으로 회계,감리,은행,보험,등을 거론한다. 이 카드가 나오면 대개 상대방은 이러한 직종에 해당되는 경우가 많다.

사업운에 이 카드가 나오면 사업의 진도가 나가지 않고 있는 경우이다. 자금, 인력 등 총체적으로 움직이지 못하는 것으로 이 문제를 해결하기 위하여 적극적인 자세로 움직여야 한다. 그렇지 않으면 손해, 적자는 눈덩이처럼 불어난다.

연애운에 이 카드가 상대방으로 나오면 성실하고 믿음직스러운 사람이지만 연애의 진도가 나가지 않아 너무 답답한 연애가 되니 본인이 이 사람을 잘 리더해야 한다.

Knight of Pentacles (기사 펜타클)
[긍정적 측면]

1. 모범생, 인내의 상징, 근면, 성실. 책임감
2. 오랫동안 기다려온 일은 빨리 성사되고 이제 시작한 일은 오래 끈다.
3. 생각과 행동의 일치
4. 금전적 보상
5. 모험보다 안정 추구
6. 대단히 현실적인 사람
7. 전통을 중시
8. 믿음직스러운 사람

Knight of Pentacles (기사 펜타클)
[부정적 측면]

1. 움직이지 못하는
2. 몸과 마음이 일치하지 못하는
3. 조바심, 한계
4. 게으른. 나태함. 무력함
5. 결단력 부족.
6. 계획만 무성, 꿈은 있으나 잘 안된다.
7. 침체. 불경기
8. 믿을 수 없는 사람
9. 생각하는대로 행동하지 않는다.
10. 책임을 다하지 않는다.

Queen of Pentacles (여왕 펜타클)

옥좌에 앉아 있는 여왕은 무릎 위에 금화를 바라보고 있다. 펜타클의 여왕이 앉아 있는 옥좌는 꽃과 식물이 무성하게 우거진 들판 위에 놓여 있는데, 이것은 물질적인 풍부함과 비옥함을 상징하고 자연 친화적이며 풍요로운 땅에서 삶의 좋은 것들을 즐기고 있다는 것을 말해주고 있다.

펜타클 여왕은 실용적이고 물질적인 가치를 중요시하는 사람으로, 이 카드가 나올 때는 금전적으로나 정서적으로 대단히 안정된 상태를 나타내고 앞으로 훨씬 더 많이 안정되고 상황이 좋아질 것이라는 것을 말해 준다.

펜타클의 여왕이 앉아 있는 옥좌는 꽃과 식물이 무성하게 우거진 들판 위에 놓여 있는데, 이것은 풍부함과 비옥함을 나타낸다. 이 사람은 살림이 넉넉하고, 주변이 편안하며, 풍요로운 땅에서 삶의 좋은 것들을 즐기고 있는 사람이다.

이 여왕은 메이저 아르카나의 여황제와 아주 비슷한데, 여황 역시 자연친화적이며 물질세계를 잘 아는 인물을 나타낸다.펜타클 여왕은 현모양처 스타일이며, 밖에서도 일을 잘한다. 머리가 좋고 수학(이과)을 잘하고 금전운 좋다.

연애는 돈이 없고 능력 없는 남자는 만나지 않고 현실적으로 안정적인 남자를 선호한다. 앞에서 배운 완즈 여왕은 정면으로 앉아 있는 모습을 보면 도전적인 여걸, 여장부 스타일이고 사회적 활동을 좋아한다. 따라서 사업운이 좋다.

이 카드의 큰 특징은 돈이 많다는 것과 우울해 보이는 모습으로 이 여인은 과부일 가능성이 있다. 즉, 왕 펜타클의 성향으로 약간 우수에 젖거나 약간 우울한 경향이 있는데 이것은 이 카드 속의 여인의 우수에 젖은 모습에서 나타나고 있으니 미망인이 될 수 있다.

아니면 여인을 보고 돈 많은 여자라고 표현하지 않고, 돈 많은 누구의 부인으로 표현하는 경우도 있다. 사업운에 이러한 카드가 나오면 부정적으로 나오면 그리 좋다고 하기는 어렵다. 이 카드는 풍요로우나 한가하며 적극적이지 못하다. 사업이 소강상태에 빠질 우려가 있으므로 상태를 점검하여 필요한 조치를 할 필요가 있다.

Queen of Pentacles (여왕 펜타클)

[긍정적 측면]

1. 현모양처, 인정 많고 현실적이다.

2. 돈을 많이 벌고 결과가 좋다.

3. 돈 많고 현숙한 여인, 똑순이, 알뜰살뜰, 저축, 고정수익

4. 돈을 잘 관리하는 여인

5. 인생을 조용하게 즐기며 사는 여인

6. 유치원 교사

7. 헌신적인 아내. 행복한 결혼

8. 연상의 여인을 도움

9. 편안함. 우아함

Queen of Pentacles (여왕 펜타클)

[부정적 측면]

1. 근심. 책임감 없는, 의존, 불안

2. 무시. 불신, 의심, 거짓된, 번영 못함.

3. 실패에 대한 두려움

4. 관대하지 못한, 부족함, 인색

5. 돈을 관리하지 못하는, 욕심쟁이

6. 욕망에 이끌려 돈을 낭비하는

7. 현숙하지 못한, 솔로

8. 시기, 자만, 질투, 변덕, 명령적, 비판적

9. 사치. 허영

10. 자식 잘못 키우는 어머니

King of Pentacles (왕 펜타클)

펜타클의 왕 카드는 비옥함과 풍부함의 최고를 상징하는 카드로 안정되고 부유함을 추구하는 전형적인 리더이다. 여유로운 왕이 앉아 있는 옥좌의 주변에는 덩굴에 주렁주렁 열려 있는 포도송이들로 장식되어 있어 풍요롭고 느긋한 기운이 넘치고 왼손은 무릎 위에 있는 펜타클 위에 놓았고, 오른손은 왕의 권위를 상징하는 봉을 잡고 있다.

왕의 자리 양쪽 위로는 황소 머리로 장식되어 있는데, 황소는 흙을 의미하고 안정과 현실적인 풍요로움을 상징한다. 삶에 대하여 꾸준하게 실용적으로 접근하고, 타당한 이유를 확인한 뒤에 일을 시작하며, 충동적으로 행동하지 않는다.

바위처럼 견고하고 책임감이 강한 그는 주변 사람들이 위기에 처했을 때 금전적으로나 현실적으로 도움을 주는 사람이다. 성공적인 사업가, 은행가, 자선을 베푸는 사람일 수도 있고 누구와도 쉽게 협상을 잘하며 사교적인 수완과 사업적인 통찰력이 장점이다.

이 카드는 모든 종류의 사업에 좋은 징조이며, 일들이 매우 생산적이고 유리하게 진행될 것임을 알려주고 있다. 계산적이며 현실적이고 구두쇠 기질이 있으며 절대로 함부로 돈을 쓰지 않다. 경제개념이 철저하다. 그러나 마음에 드는 여자에게는 돈을 쓴다. 머리가 좋고 수학적 계산을 잘하며, 사업운은 좋고 금전운도 좋다.

검은 피부에 체격이 좋다. 활동적이며 경제적 도움을 줄 수가 있고 원하는 사랑을 해줄 수 있는 남자이다. 지배받고 명령 받는 것을 싫어하고 누구 밑에 일하는 것을 좋아하지 않는다. 겉으로는 태연하나 내심 초조. 갈등이 많다(도마뱀)

이 카드는 성공해서 많은 부를 갖고 있으면서 타인에게 절절히 베풀고 자신의 인생을 즐기는 여유가 있는 사람으로 표현하고 있다. 따라서 밤낮으로 노력하는 사업가는 아닌 것으로 묘사되고 있다.

만약 그러한 사업가라면 아마 킹 완즈로 나오기 쉽다. 물론 돈 많다고 백수처럼 지내지는 않으나 일선에서 어느 정도 물러났거나 좀 더 시간적 여유가 많은 금융쪽 사업을 한다든지 하는 것으로 상정된다.

펜타클 자체가 땅의 요소와 관련된 것으로 많은 땅을 소유한 거부일 가능성도 있다. 카드에서 풍기는 여유로움은 타인에게도 넉넉히 대하는 여유를 보여준다. 사업운에서 이 카드가 나오면 당연히 좋은 것으로 그 사업을 추진하는데 여유도 있고 자금도 충분한 상황이다.

이 카드가 부정으로 나오면 악덕 사채업자일 수 있고, 겉으로만 돈이 많은 듯해도 부실채권 마냥 돈이 없는 사람 등 여러가지로 표현되고 있다. 따라서 부정적인 이미지인 것은 사실이나 어느 경우인가는 주변 카드와 질문자의 상황을 염두에 두고 판단하여야 한다.

King of Pentacles (왕 펜타클)

[긍정적 측면]

1. 성공한 사업가, 능력자. 지도자
2. 경험 많은 성공적인 지도자,
3. 사업적인 통찰력
4. 수학적 능력
5. 신뢰할 수 있는 혼인 상대, 배우자
6. 현명한 투자
7. 안정된 시기

King of Pentacles (왕 펜타클)
[부정적 측면]

1. 정직하지 않는

2. 실패한 사업가, 능력없는 아버지

3. 낭비. 위기. 위험

4. 완고. 고집센

5. 돈과 명예를 잃는

6. 악덕업자, 실패한 사업가

7. 금전과시, 허세, 돈으로 모든 것을 해결

8. 사업적 기반이 없다.

☞ 보충 설명

펜타클(Pentacles)의 성향

* 가장 재미없는 유머감각이 없는

* 둥글둥글하게 사는데 유머감각은 떨어진다.

* 가장 안정적. 화를 잘 안낸다.

* 기복이 별로 없다. 변덕이 별로 없다.

* 성실함. 믿음직한

* 비만. 통통

* 땅을 상징. 돈. 부동산

* 거의 대부분 좋다.

* 마음의 안정. 물질의 안정

　　* 변하지 않는다. 문제의 결과 좋게 된다.

펜타클: 대지의 성향, 조용, 정적, 평온, 여성적, 온화함, 현실적, 계산적, 돈 욕심 多, 아주 검은 피부, 겨울, 북쪽, 비만

마이너 아르카나 숫자카드 의미

Ace: 창조적인 힘과 잠재력. 새로운 시작

2: 아직 완성되지 않는 창조적인 힘. 대립. 힘의 균형

3: 성장과 확장. 첫무대가 완성됨. 협력의 결실

4: 안정성. 현실. 논리. 이성. 인간의 마음. 육체. 영혼. 물질

5: 슬픔과 상실. 역경. 불확실성

6: 평형. 조화. 균형. 하늘의 정신과 땅 그리고 육체의 균형

7: 어떤 단계의 완성. 지혜. 순환 주기의 완료

8: 재생. 대립하는 힘의 균형

9: 완성(10)이전의 기초를 형성. 다른 숫자들의 힘을 합친 것

10: 완벽함. 컵과 동전은 행복의 기쁨의 최고단계. 검과 지팡이는 심판과 시련

구궁(九宮)타로 배열법 (질병.이사운)

4 風 東南	9 火 南	2 地 西南(저층)
왼쪽어깨. 장. 기관지. 수족. 중풍. 갑상선. 혈관. 대머리. 암내. 신경과민. 기침. 눈썹. 간	눈. 머리. 심장. 불면증. 화상. 정신이상. 장염. 혈액병. 불임	배. 오른어깨. 비위. 피부와 살. 여성생식기. 소화불량. 비만
3 雷 東	5 中央	7 澤 西
간담. 발. 왼옆구리. 머리카락. 목소리. 히스테리. 이명	각종 암 질환. 고질병	오른옆구리. 폐. 치아. 절음발이. 언챙이. 성병. 목구멍. 지체장애. 입. 혀
8 山 東北	1 水 北	6 天 西北(고층)
척추. 뼈. 비장. 위장. 복부.코. 입. 등. 손가락. 지랄병. 눈. 관절염. 요통. 왼쪽다리. 발가락. 유방	신장. 자궁. 방광. 혈액. 항문. 생식기. 전립선. 귀. 골수. 우울증. 설사	머리. 머리카락. 폐. 골격. 오른다리. 남자생식기. 정신이상. 치매

타로카드 배열법

10] 타로카드 배열법

이번 강의에는 타로 배열법에 대해서 간단히 설명하겠다. 배열법은 각자 원하는 방식으로 만들어 사용할 수 있기 때문에 어떤 배열법이 좋다고 설명할수 없다. 저 여명(필자)은 주로 7 카드 배열법을 사용하고 있는데 모든 배열법은 기본 3 카드 배열을 응용하고 있다. 정. 역방향 구분없이 각각 타로카드의 긍정/부정적 측면을 구분하기 위해서는 7장 이상의 배열법을 권장드리고 싶다. 카드 배열이 적을수록 통변하기가 더 난해하다.

타로카드 배열법

1. 1 카드 배열법
@ 카드 한장만을 사용하는 가장 간단한 배열법
@ 질문은 Yes 또는 No로 대답하는 단답형

2. 3 카드 배열법
@ 일반적인 질문에 널리 사용하고 타로카드 3장만 사용
@ 각각 카드는 놓는 순서에 따라

과거	현재	미래
현재상황	문제점	조언(결과)
현재상황	진행과정	결과
시작	과정	결과

3. 3 카드 배열 응용법

먼저 3카드 배열법으로 질문에 대한 대답을 구하고, 다시 그것과 관련된 질문에 대해 새롭게 카드를 펼쳐서 답을 구한다.

4. 5 카드 배열법

1) 가장 먼 과거

2) 가까운 과거

3) 현재

4) 가까운 미래

5) 가장 먼 미래

5. 켈틱 크로스(Celtic Cross) 배열법

가장 많이 사용하는 배열법. 10장 카드 배열법

			10
	5		9
4	2 1	6	8
	3		7

1) 질문자의 현재 상황과 문제

2) 질문자의 현재 상황을 가로막는 장애물 또는 도와주는 상황

3) 먼 과거

4) 가까운 과거

5) 겉으로 드러나는 가장 큰 문제나 상황

6) 가까운 미래

7) 질문자 자신이 바라보는 시선

8) 현재 주변에서 질문자를 바라보는 상황

9) 질문자의 심리상태나 마음가짐

10) 미래의 최종결과와 문제의 해답

6. 양자택일 배열법

둘 중에 무엇을 선택해야 할지 갈등할 때 사용하는 배열법

7. 방향 배열법

동서남북 네 방향중에서 어디를 선택할지 궁금할 때 사용한 배열법이다.

8. 피라미드 배열법

10장의 카드를 피라미드 모양처럼 네줄로 배열하는 방법

⑩ 결과

⑧⑨ 미래

⑤⑥⑦ 현재

①②③④ 과거

9. 7 카드 배열법

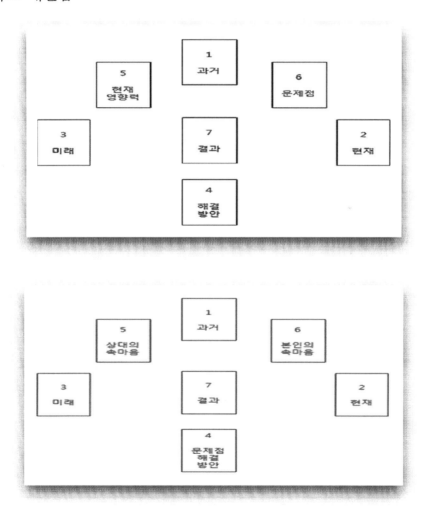

두 사람 사이의 관계 (연애. 일. 친구)

10. 10 카드 배열법

한 사람이 보면 10장을 뽑고 두 사람이 보면 각자 5장을 뽑는다.

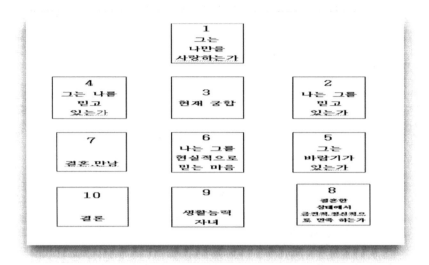

궁합

11. 13 카드 배열법

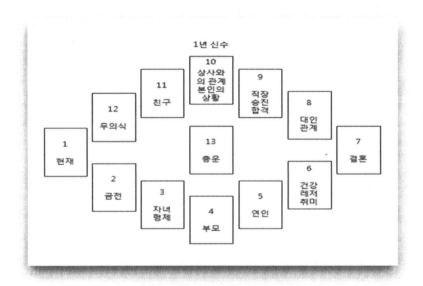

일년신수(종합운세)

11] 타로점 핵심 원리

메이저 카드는 무의식세계(정신) (天)로 22장으로 설명되어 있으며, 마이너 카드는 의식세계(물질) (地)로 4가지 요소로 1~10의 숫자 40장으로 설명하고 있으며, 코트(인물)카드는 인간사회 4가지 인물과 진행 과정으로(人) 16장으로 구성되어 있다.

우리가 타로점을 보고 결과를 나타내기 위해서는 인물 카드 16장의 구성이 대단히 중요하다. 모든 점사에 인물 카드가 나오면 점사의 진행단계나 인물의 성향. 능력 및 결과 상태를 알 수 있다.

물론 메이저 카드 특성과 마이너 카드 4원소 중에 숫자의 구성에 따라 종합해서 리딩해야 한다. 인간사의 원하는 결과를 표출하기 위해서는 인물 카드가 나와야 한다. 인물 카드가 소년. 기사. 여왕(왕)의 단계에 따라 진행 속도나 능력 여하는 달라진다.

0	1	2	3	4	5	6	7	8	9	10
11	12	13	14	15	16	17	18	19	20	21
W	1	2	3	4	5	6	7	8	9	10
C	1	2	3	4	5	6	7	8	9	10
S	1	2	3	4	5	6	7	8	9	10
P	1	2	3	4	5	6	7	8	9	10

P	Wp	Cp	Sp	Pp
Kn	Wkn	Ckn	Skn	Pkn
Q	Wq	Cq	Sq	Pq
K	Wk	Ck	Sk	Pk

숫자나 알파벳을 보고 타로 그림이 떠 오르는 연습을 해야 한다. 흑백보다는 칼라로 나와야 하며 좀더 선명하게 타로 그림이 느낌이 오고 숙달이 되면 3D 영화를 보듯이 입체적으로 보인다면 영성이 개발이 되어 직관력과 집중

력이 생긴다.

이렇게 타로 그림과 친숙해지면 7장 배열법으로 타로를 스프레드하고 시간이 지난 후에도 7장의 타로 그림이 마음속에서 잊어지지 않고 한순간에 떠오르게 된다. 여기에 타로의 기본적인 내용을 파악한 후 질문에 맞추어 해답의 통변술(리딩)이 입으로 터지게 된다.

여기서 주의할 점은 타로 이론 공부를 제대로 하지 않고 처음부터 직감이 빨라 타로 그림을 보고 느낀 대로 직관 리딩을 해버리면 타로 공부를 깊게 통찰할 수 없다. 그래서 이런 분들이 독학이 독이 될 수 있다.

12] 타로 왕초보 학인에게 드리는 조언

[타로카드의 구성원리는 삼태극이다]
타로 그림을 해석하는 기준은 자신의 관점에 따라 보는 사람마다 다르다. 메이저 카드 0번 바보(광대)부터 21번 세계카드 정해진 순서에 따라 22장의 타로카드를 숫자 번호에 의미를 두거나, 신계과 인간계를 설명하거나, 인간이 홀로 여행을 떠나 집으로 돌아오는 여정을 설명하거나, 타로그림에 나오는 신화적인 내용이나 기독교적인 관점에서 보는 것이 아주 오래전 고대사부도지에서 나오는 인류의 기원 내용과 흡사하다는 생각이 든다.

사주명리학적인 차원에서 메이저 카드를 보면, 0번 바보는 空한 상태인 무극(無極)을 말하며, 21장은 천부경의 10수리를 표현하며, 육십갑자에 나오는 10천간과 유사하다. 그리고 숫자는 진본 천부경에서 나오는 하나부터 열까지의 수리철학과도 너무 흡사하다. 그리고 완즈(화).컵(수).검(풍),펜타클(지) 지수화풍은 우주 만물의 4대 요소로 불교에서 나온 말이며, 4계절에 오행이 하나가 빠진 것이 아니라 木火土金水가 다 들어가 있다.

또한 타로카드 78장은 메이저 22장. 마이너 56장인데 마이너 카드 중에서도 인물 16장으로 3가지로 분류하는데, 삼태극의 天地人 三才가 떠오른다. 역사적으로 올라가다 보면 역학의 시원이 동,서양이 따로 있는 것이 아니라 한 곳에서 전 세계적으로 분포되어 각각의 환경에 맞추어 표현방식이 다를 뿐이다.

육십갑자는 천간 10자와 지지 12자의 조합으로 표현하지만 그 속에 숨어있는 기운은 수많은 형상으로 표현할 수 있다. 그런데 타로카드는 글자 대신 그림으로 표현되어 메이저 22장을 天干으로, 마이너 카드(지수화풍) 카드는 地支로 설명하는 것은 태극 사상이고, 거기에 인물 카드 16장 속에 인간 사회구조가 들어가는 것이 삼태극 사상이라는 것은 본인(여명)은 생각하지만 혹자는 무슨 생뚱맞는 소리냐고 할 수 있다.

저 여명(필자)은 역학의 원리는 동,서양이 따로 있는 것이 아니다 라는 것을 강조하고 싶다. 이런 원리를 이해하면 타로카드 78장수와 상관없이 장수를 줄일 수도 있고 늘일 수도 있게 우리 정서에 공감되는 타로카드를 직접 만들 수 있다. 앞으로 잊어져 가는 우리 역사를 바로 세울 타로카드가 나오기를 진심으로 기원한다. 그러나 이런 원리를 심층 분석한다고 해서 타로 심리, 운세 상담을 잘하는 것은 아니다.
이런 타로카드의 기원이나 역사적 배경 등등 원론적 공부를 하기 위해서 실전 타로강사를 찾아 가는 것보다는 도서관에 가셔서 타로논문자료를 찾아 스스로 공부해도 된다.

[타로 키워드 공부 어떻게 해야 하는가]

우리는 도대체 사주 공부나 타로 공부를 하는 목적은 무엇인가? 대부분은 사주나 타로를 통하여 각자의 삶 속에서 처해진 운명을 예측하고 올바른 판단하여 윤택한 삶을 영위하기 위함일 것이다.

따라서 타로카드 78장 각각의 카드 그림을 의미를 파악하여 자신만의 타로 배열법에 의해 인간의 심리상태를 파악할 수도 있고, O,X 가부결정 등을 내릴 때나, 다양하게 통변할 수 있는 점술학을 타로구성 원리를 이해하고 어떻게 78장의 카드를 실제 상담에서 제대로 응용할 수 있는 통변기법을 고민해 보아야 한다.

타로카드에 나오는 키워드는 수없이 많다. 그렇지만 타로카드 이미지 속에 누구나 공감할 수 있는 기본 키워드가 있다. 이것을 무시하고 너무 주관적인 키워드에 집착해서는 안된다. 말 그대로 기본 키워드에서 질문상황에 따라 키워드를 확장시켜 나가야 한다.

그런데 질문내용을 잘 숙지하지 못하고 기본 키워드 위주로 단순히 모든 점사를 적용하면 앞뒤 맞지 않는 타로리딩(통변)을 한다. 모든 점사는 질문자의 질문내용을 잘 파악해야 한다. 질문에 따라 기본키워드. 상징키워드. 물상 대체 키워드 등 어떤 키워드 리딩(통변)을 적용해야 하는지 타로 마스터들은 잘 숙지해야 한다.

그리고 본인에게 맞는 카드 배열법을 설정하여 처음에는 카드 1장씩 배열 위치에 따라 스토리를 만들어야 하고 메이저. 마이너 숫자. 인물카드를 구분 해서 보는 안목을 지녀야 하며, 2~3장씩 조합해서 전,후 관계를 보고, 나중 에는 한눈에 여러 장이 한 장으로 압축시키는 훈련을 해야 한다.

따라서 처음에는 이론편을 전체적으로 이해하고, 실제 사례를 통하여 이론편 에 있는 키워드를 긍정과 부정의 양면성(음양론)을 보고 긍정 속에 부정, 부 정 속에 긍정의 키워드를 확장 시켜 나가면 어휘구사력이 증폭이 되어 어떠 한 질문에도 누구든지 말문이 터지는 언어를 구사하게 된다.

[몇 개월 타로 강의 효과가 있는가]

그러나 지금까지 대부분 타로 강의는 타로 78장 한 장씩 키워드를 설명하 고, 이해를 시키는데 끝나고 있으며, 실제 상담을 하기 위해서 필요한 실전 통변연습은 한없이 부족한 상태에서 타로강의를 끝날 수 밖에 없는 실정이 다.

꼭 상담에 필요한 이론편 50시간. 실전편 50시간 총 100시간 과정이 최소 한 필요한데, 이 정도 분량이면 2시간 1회 과정으로 50회를 해야 하는데 일 주일 1회 과정이면 1년이 소요되고, 일주일에 2회 정도면 6개월 과정이 필 요하다.

누가 이렇게 타로 공부를 진지하게 시간과 비용을 투자할 수 있을지 의문이 다. 사주 공부와는 다르게 없는데 오히려 타로 공부가 사주보다 더 난해할 수도 있는데 타로 공부를 너무 쉽게 배우려는 자세가 문제이고, 쉽게 가르치 는게 문제이다.

주변에 보면 00타로협회를 만들어서 수많은 타로 수강생을 모집하여 법적으로도 인정 못 받는 타로 자격증을 남발하여 영리를 목적으로 하는 것은 충분히 이해는 하나, 심도 있는 전문적 타로 강의는 진행 시키지 못한 점이 아쉽다. 비용이 싼 문화센터 등에서 그저 타로취미반 위주로 진도가 나가지 못하고 흐지부지 끝난 경우가 많다.

이런 표현이 공감하기가 부담스러운 독자님들도 계실 수 있겠지만 주변에 타로 공부를 배워서 각자의 직업에 활용하려는 분이 계시는데 과연 얼마나 활용하고 계신지 의문이다. 타로 공부는 누구나 쉽게 접근해서 배울 수 있지만 이것을 어떻게 실전에서 응용하여 타로점을 제대로 풀어낼 수 있느냐인데 실전경험이 풍부한 상담업에 종사하거나 사주 상담가들은 타로점을 쉽게 활용할 수 있다고 하지만 실전경험이 부족한 일반인들은 특별하게 준비하지 않고, 실제 상담에 들어가면 현실적으로 상담 한계에 부딪히게 된다.

[타로샵 창업하기 전 이렇게 준비하자]
제대로 공부하기 위해서는 기본공부를 마치고 나서 타로나 사주스터디를 만들어 실제 사례를 통하여 서로 토론하면서 본인만의 실전 노트를 만들어 반복훈련을 하시고 창업을 하시면 흔들림 없는 최고 상담전문가로 이름을 날리게 된다.

오래전에 충청도 모 스님이 철학관을 개업을 하여 문전성시를 이루어 큰 개인사찰을 지었던 일화가 있다. 이 분은 역학책을 독학하여 절에 다니는 신도를 대상으로 10년간 임상실험을 하여 영등포에서 철학관을 개업하여 현금을 가마니로 담았다는 전설 같은 이야기를 들은 적이 있다.

10년간 실제 보물 같은 임상자료가 실전에서 히트를 친것이다. 어느 누가 보물 같은 임상자료를 쉽게 출판하고 공개하겠는가? 그러나 노력해서 찾아보면 그런 절판된 책이 간혹 보인다. 대부분 책들은 홍보용이나 편집되어진 역학책이라고 보면 된다.

따라서 인터넷상 너무나도 분별없이 넘쳐버린 역학자료나 강의는 여러분 다 소화하기도 힘들고 더 방해가 될 수도 있다. 아무리 훌륭한 강사도 실전 상담에서는 배우는 제자보다는 미치지 못하는 경우가 있다.

강의는 자료와 화술만 뛰어나면 명강사가 될 수도 있지만, 상담은 실제상황이고 많은 손님을 직접 상대하고 상대를 맞추어 주지 못하는 자기 위주 스타일이라면 한순간에 명강사도 자괴감에 빠져 버린다. 이런 개인 상담이 부담스러워 상담을 포기하고, 책을 출판하여 강사를 선택하는 경우도 많다.

[타로 공부하기 전 목표설정]
타로 공부를 시작하기 전에 각자의 수준에 맞추어 목표설정을 잘해야 한다. 단체. 기업체. 학교 등을 찾아다니며 강의를 목적으로 활용할 계획이라면 사주명리학과가 있는 대학과 대학원에 입학해서 타로 전문가 과정을 이수하고 강의 관련 서적을 출판과 동시에 인맥을 쌓아 자신을 홍보해야 한다.

그러나 상담이 목적이라면 굳이 대학을 입학할 필요 없다. 기본공부만 끝나면 자신만의 임상자료를 만들어 개업하면 모든 고객상담은 한층 더 실력이 업그레이드가 된다. 그렇지 않고 창업하면 실력보다는 요령만 터득하게 되고, 항상 불안 속에 타로 선생 찾아 헤매이게 된다.

그리고 어떤 컨셉으로 타로샵을 창업 할 것인가를 준비해야 한다. 젊은 층을 주로 상담이라면, 애정 운세를 좀 더 세밀한 상담기법을 연구해야 한다. 그래야 주변의 타로상담사와 경쟁이 된다. 중장년층을 상대라면 사주와 곁들어 상담을 하는 것이 좋다.

지금까지 수십명의 타로 상담사를 옆에서 지켜보았지만 앞서 얘기한 것처럼 제대로 자신만의 타로 공부를 하고 실전 상담을 하신 분을 제대로 본 적도 없고, 그저 무슨 타로 강의가 좋다고 하면 철새처럼 여러 선생을 찾아다니다 끝내는 그 수많은 자료를 가지고 자신도 타로 강사가 되어 둔갑하는 경우도 있다.

[결론]

이 글을 쓰는 목적은 현업에 종사하는 분이 아니고, 타로 공부에 관심이 있어 앞으로 창업을 희망하는 왕초보 학인을 위해서 조금이라도 도움이 될까 차원에서 제 블로그에 올린 내용을 다시 언급하고 있다. 혹시라도 이 글을 읽고 불편하신 분들이 계신다면 양해 말씀 부탁드린다.

저 또한 과거 잘못된 상담과 강의를 참회하면서 저같이 어리석고 구업의 죄를 밟지 마시라는 차원의 글이니 조금이라도 공감이 되셨으면 하는 바램이다. 이 책을 통하여 타로 리딩에 일취월장 하시길 기원하는 바이다.

13] 타로 공부 방법론

타로가 서양에서 국내에 도입된 지 30년 정도 지난 것 같다. 지금은 인터넷이 활발한 시대로 어느 누구나 쉽게 접하여 공부할 수 있지만 너무 무분별하게 수 백종의 타로카드로 넘쳐 나서 도대체 어떤 타로카드로 선택해야 하는지 타로 초심자들은 고민할 수 밖에 없다.

심지어는 동양철학인 주역을 활용하는 주역 카드도 있고 우리나라 역사적 위인들과 환경을 적용하여 동양 타로를 개발하여 활용하신 분도 있다. 또한 예전 우리 일상생활에서 화투점을 쳤다는 것을 들어 본 적이 있을 것이다.

이처럼 타로카드나 기타 여러 그림이나 글씨 등을 통하여 우리가 궁금하고자 하는 운세를 점을 치는 것인데 타로점의 장점은 타로 그림을 통하여 단순하게 가부 결정 길흉뿐만 아니라 각자의 삶에 올바른 판단할 수 있는 지혜를 주는 커다란 장점이 있다.

그러나 어느 누구나 쉽게 타로카드 공부를 접근할 수 있지만 막상 배워보면 중간에 포기하는 경우가 대부분이다. 왜냐하면 사주 공부나 기타 역학 공부보다 타로 공부를 너무 쉽게 접근하는 자세가 문제이고 주변에 너무 쉽게 빠르게 타로 공부를 시키는 환경이다.

타로 공부를 제대로 하기 위해서는 자신에게 맞는 타로카드를 하나를 선정하여 평생 매진해야 한다. 사주 공부를 병행하면 그만큼 시간이 더 오래 걸린다. 정말로 타로 달인이 되고자 하신 분은 타로 한 가지에 집중하는 열정을 지녀야 한다.

이런 목표가 있으신 분들은 결국 타로 상담자로 직업을 선택해야 한다. 나머지 취미로 타로 공부를 하신 분들은 말 그대로 취미 정도로 가볍게 끝내야 한다. 그리고 타로 공부는 술학으로 단순히 타로 이론에 박학다식 한다고 타로점을 잘 보는 것이 아니다.

국가적으로 인정 받지 못하는 무분별한 타로 자격증을 난발하여 상술적으로 이용되는 그런 자격증을 취득하는 것은 아무 의미가 없으니 시간과 금전낭비하지 마시고 취미로 공부하실 분은 책이나 인터넷을 통하여 얼마든지 무료 강의가 넘쳐나니 가볍게 공부하시길 바란다.

[타로공부 공부 순서]

1. 자신이 선택한 타로카드 그림과 익숙해져야 한다.
2. 메이저 카드. 마이너 카드. 인물(궁정) 카드를 구별하여 기본핵심을 파악한다.
3. 누구나 공감할 수 있는 타로 기본 핵심 키워드를 숙지(암기)한다.
4. 모든 타로카드 긍정적/부정적 측면을 확장 이해한다.
5. 자신에게 맞는 타로 배열법을 선택하여 기본 키워드로만 순서에 따라 철저히 리딩(통변)한다.
6. 1~5번까지 타로공부는 누구나 객관적으로 숙달할 수 있다. 각각의 운세별로 타로 배열법에 따라 기본 뼈대를 세우는 공부를 해야 한다.
7. 이제부터는 영성 훈련을 하여 직관력을 배양 시키는데 각자의 주관적 능력에 따라 실력이 천차만별이다. 기본 뼈대에 살(근육)을 붙이고 화장도

하며 옷도 다양하게 입어 멋을 부리는 단계이다.

8. 처음 기본 원칙론에 따라 뼈대를 세우는 공부가 제일 중요하다. 이 기본 원칙론을 배제하고 바로 변측적이고 주관적인 직관타로는 뼈대에 약하여 그만큼 생명력이 약하다. 이런 단계는 직감에 따라 예측하기 때문에 호불호가 심하다.

9. 이 단계는 배열법이나 기본 키워드를 벗어나 자유롭게 리딩하는 것 같지만 실제로는 기본 원칙을 바탕으로 참고적으로 스킬이나 멋을 내는 것뿐이다. 알고 보면 주관적 판단이라 타로 그림속에 모습이나 색상이나 숫자 등을 참고하여 직관하는 것으로 각자의 키워드를 만들어 내는 훈련을 하는 것이다.

10. 타로 노트를 만들어 운세별로 나누어 철저히 분석해야 한다. 단순히 자신의 하루 일진을 타로를 통하여 명상하는 것도 좋지만 운세 배열법에 따라 입체적으로 여러 가지 상황으로 쪼개고 확장하고 분석하는 연습을 눈과 입과 글로 표현하는 자신만의 타로노트를 작성해야 한다.

[결론]

타로카드 꼭 한 가지만 선택해서 활용한다. 타로 1장을 보고 인물, 사물, 장소, 방향, 색상, 숫자, 기간 등을 다양하게 돌려야 하는 것이다. 이런 리딩을 못하니 여러 가지 타로카드를 사용하는 것이다. 실제 통변에 필요한 이론공부는 간단할수록 좋다.

너무 광범위한 타로 이론에 빠지면 배가 산으로 가는 격이 되어 버린다. 가장 중요한 것은 질문에 따른 타로 배열법을 통하여 타로리딩을 얼마만큼 확장 분석하는 능력이다. 그러나 이것도 실전에서 맞지 않으면 바로 수정을 해서 문제점을 파악해야 한다. 그래서 타로 노트가 필요한 것이다.

숙달이 되면 질문자의 수준에 맞추어 쉽게 정확하게 표현하는 능력이 생긴다. 이런 반복숙달 훈련을 하지 않고 자신만의 주관적 판단으로 적당한 화술로 리딩한다고 타로 실력이 있는 것이 아니고 화술(말빨)이 뛰어난 것으로 이 또한 타고난 장점인데 이런 부류들은 깊은 공부를 하지 않는다는 것이다.

[추가: 타로샵 창업]
실제 현장 타로술사는 자신만의 타로 상담 스킬 없이는 소문이 나지 않으며 직업으로 유지하기에는 이제는 살아남기 힘들다. 장소가 좋으면 관리비가 비싸 단골 고객을 유치하지 못하면 뜨내기 손님으로는 현실성이 없다.

예전에는 타로 대충 배워도 화술과 장소만 좋으면 여러 상담사를 고용하여 손님이 문전성시를 이루었지만, 지금은 타로술사들이 포화상태가 되고 온라인 엔터테인먼트화가 되어 결국 이들과 경쟁에서 살아남기 위한 전략적인 대책을 세워야 한다.

타로 상담을 천직으로 생각하고 목표를 가지고 있는 학인들은 타로 강의보다는 전문적으로 특화된 고객상담으로 승부를 걸어야 한다. 전에는 어린 학생 위주로 박리다매 상담형식으로 에너지가 너무 소모되었지만, 현재는 자신만의 전문 타로샵이나 상담을 특화시켜 광고 홍보 투자를 하여 예약제 위주 특정 상담고객을 유치시켜야 한다.

예를 들어 애정 운세만 특화시켜 디테일한 상담을 한다든가, 진로적성이나 학업문제만 특화시켜 학부모 고객상담을 하는 것이다. 문제는 오프라인 장소 선택 환경이 제일 중요하다. 학군이 좋은 고급 아파트 단지 등에서 카페와 연계하여 타로 상담을 홍보하는 것도 하나의 방법이다.

또 다른 차원으로 현재 포화상태인 국내보다는 국외로 진출하여 교포나 유학생. 외국인 등을 상담고객으로 유치하는 것인데 아직은 코로나로 인하여 막혀 있지만 언젠가는 풀리면 각자와 인연이 있는 해외로 나가 답사를 하거나 아니면 외국 현지인과 연계하여 서로 동업 형태로 알아보는 것도 좋은 방법이다.

지금까지 '타로 실전 강의록 이론편'을 마치고 다음 강의에는 실전편을 다룰 예정이다. 실전편에서는 운세별 질문에 따라 타로 배열법을 통한 통변(타로리딩)하는 기법을 강의할 것이다. 이론편을 주로 참고 삼아 실전통변을 하기 때문에 얼마만큼 이론편을 다양하게 응용하여 구사할 수 있느냐에 따라 자유자재로 타로 리딩을 구사할 수 있다.

타로 실전 강의록 이론편 -끝-